化学・生物実験

日本大学生産工学部
化学・生物実験研究会

東京教学社

はじめに

　最近の科学技術の発展には目をみはるものがありますが，特に，工学においては広範な分野が複合化し，扱う材料も多岐にわたっています。このような多様化の時代において，学問領域も複雑に絡み合っていくため，自然科学各分野は学際性が必要であり，学問分野の横断的科目が必要となります。特に，これからのエンジニアには化学・生物学的な基礎知識や，それを応用する能力を身に付けていることが求められています。

　生産工学部ではこのような観点に立った一連の教育改革において，工学的な基礎能力の充実を重視したカリキュラムを構築しました。その中で，「化学・生物実験」は基盤科目の＜実技系＞に位置付けられ，必修科目として，２単位の修得が義務付けられています。これは，実験実習が工学教育の１つの重要な柱であるという認識に立ったものです。

　「化学・生物実験」は，化学，生物学の基本的な実験を行うことにより，自然法則の概念を理解するばかりでなく，自然現象の解明に必要な観察力・洞察力を養い，自ら実験を計画するときに不可欠な基本的技法を修得するために設けられた科目です。

　この「化学・生物実験」では，まず，いろいろな角度から化学的アプローチをして物質の性質を究めるための，基本的な取り扱いを経験します。様々な実験を通して多くの物質や器具・操作に触れるとともに，身近な物質を合成したり，抽出分離や化学分析を行い，物質の性質や変化を知ることができます。それにより化学的なものの見方，考え方，注意深い観察力，正確な判断力を養ってほしいものです。また，化学的事象と生物学的事象の差異を体得することにより，生物学への認識を深めてもらいます。

　本書は，学部初年度の実験書として執筆編集されたものであります。内容的にも操作的にも高等学校における実験教育が必ずしも十分であるとはいえない現状を配慮して，基礎的でかつ興味がもてる実験を用意しました。諸君が受講を終えたとき，化学や生物について興味が広がり，今後に役立つ基礎学力が身に付いていることを心から願っています。

　　２０２０年４月１日

　　　　　　　　　　　　　　　日本大学生産工学部　化学・生物実験研究会

目　次

Ⅰ　化学・生物実験へのアプローチ

　1　化学・生物実験の概要　　‥‥‥‥‥‥‥‥‥‥‥　1

　　1.1　一般的事項　　‥‥‥‥‥‥‥‥‥‥‥‥‥‥　1

　　1.2　実験に臨むにあたって　　‥‥‥‥‥‥‥‥　2

　　1.3　実験の流れ　　‥‥‥‥‥‥‥‥‥‥‥‥‥　3

　2　化学実験室への案内　　‥‥‥‥‥‥‥‥‥‥‥　4

　3　化学実験室における実際的注意　　‥‥‥‥‥　7

　　3.1　実験室における心得　　‥‥‥‥‥‥‥‥‥　7

　　3.2　実験開始前の準備　　‥‥‥‥‥‥‥‥‥‥　7

　　3.3　実験中の注意　　‥‥‥‥‥‥‥‥‥‥‥‥　8

　　3.4　実験が終わったら　　‥‥‥‥‥‥‥‥‥‥　10

　4　実験結果のまとめ方　　‥‥‥‥‥‥‥‥‥‥‥　12

　　4.1　レポートシート　　‥‥‥‥‥‥‥‥‥‥‥　12

　　4.2　有効数字の取扱い　　‥‥‥‥‥‥‥‥‥‥　12

　　4.3　グラフの描き方　　‥‥‥‥‥‥‥‥‥‥‥　14

　5　レポート作成のヒント　　‥‥‥‥‥‥‥‥‥‥　15

　　5.1　レポートを書く心得　　‥‥‥‥‥‥‥‥‥　15

　　5.2　レポートの形式　　‥‥‥‥‥‥‥‥‥‥‥　15

　　5.3　化学・生物実験でのレポート　　‥‥‥‥‥　16

Ⅱ　基本操作

　1　器具の取扱い　　‥‥‥‥‥‥‥‥‥‥‥‥‥‥　19

　2　試薬の取扱い　　‥‥‥‥‥‥‥‥‥‥‥‥‥‥　23

　3　沈殿の取扱い　　‥‥‥‥‥‥‥‥‥‥‥‥‥‥　24

　4　バーナーの使用法　　‥‥‥‥‥‥‥‥‥‥‥‥　28

　5　測容器具および使用法　　‥‥‥‥‥‥‥‥‥‥　29

　6　天秤の使用法　　‥‥‥‥‥‥‥‥‥‥‥‥‥‥　33

　7　基本操作実験　　‥‥‥‥‥‥‥‥‥‥‥‥‥‥　35

III 実験

1	ケミカルライトの合成	41
2	中和滴定による食酢中の酢酸の定量	49
3	金属材料分析	61
4	アルコール発酵能の測定	91
5	天然物からのカフェインの抽出および同定	101
6	食用色素の分離・同定	117
7	DNA の抽出と電気泳動による確認	125

IV 付録・付表

1	原子量, 分子量, 溶液の濃度	137
2	実験式の作り方	139

付表

	基本物理定数	141
	ギリシャ文字	141
	SI接頭語	141
	原子量表	142
	周期表	143

I　化学・生物実験へのアプローチ

1　化学・生物実験の概要

2　化学実験室への案内

3　化学実験室における実際的注意

4　実験結果のまとめ方

5　レポート作成のヒント

1 化学・生物実験の概要

1.1 一般的事項

　本書で取り扱う実験は，いわゆる研究を主眼としたものとは異なり，基本的な実験の方法を会得し測定技術を習得しながら自然科学の基本事項を学ぶことを主な目的としたものである。あわせて，一人でなく他の学生と共同で実験を行うことにより協調性を養い，実験結果を正しく報告する能力を身に付けることも学習のねらいの1つである。

　このような目的を達成するためには，実験操作に入る前に実験テーマの目的を把握し実験原理を十分に理解しておく必要がある。そこで化学・生物実験では，各実験テーマに関する予習を徹底するべく，レポートシートへの予習を義務付けている。この他にも以下のような一般的事項があるので確認しておくこと。

・午前中の実験時間は9時〜12時10分，午後は1時〜4時10分である。

・化学・生物実験は実籾校舎の化学実験棟(4号館)で行う。

・化学実験棟の学生実験室は1階および2階にある第1および第2学生実験室を
　使用する。

・化学・生物実験に関する掲示は，化学実験棟1，2階の掲示板で行う。

・3階は研究室であるから静粛にすること。

☆欠席した場合

　欠席理由を詳細に書いた欠席届をペン書きで作成し，必要書類（医療機関の領収書または欠席証明書）を添えて，1週間以内に担当教員へ提出する。欠席届および欠席証明書は各準備室に用意されている。

1.2 実験に臨むにあたって

・**実験グループを知る**　大きく2つの実験グループに分かれる。1階のテーマを先に行う実験グループ①と2階のテーマを先に行う実験グループ②である。
化学実験棟1，2階の掲示板に掲示されている実験グループ・班編成表で自分の属する実験グループおよび班（次の項目を参照）を事前に確認しておくこと。

・**実験班番号を知る**　実験は2〜4名で共同して行う。原則として1階のテーマは3名1班，2階のテーマは2名1班と班編成が異なるので，両方の班編成表を事前に確認し，共同実験者名を控えておくこと。

・**実験テーマ日程を知る**　配布した日程表から，各回の実験テーマ，実験室を確認する。自分が属する実験グループ（①または②）と受講する月日の欄を見て各自の日程を表紙の裏にある実験予定表に書き込んでおくとよい。この日程表からわかるように，実験室が曜日によって変わるので注意すること。

・**予習をする**　実験を安全に行う上で予習は大切である。テキストの各テーマの内容をよく読み，レポートシートの〈目的〉，〈原理〉，〈実験方法〉を記述する。

・**実験に必要なもの**
　－実験テキスト
　－レポートシート　　予習，実験中の結果の記録，実験後の考察に使用する。
　－バーコード　　レポート提出をする際に必要である。
　－定規　　適当なものを各自用意する。透明のものが使いやすい。グラフの作成に用いる。
　－関数電卓　　学科等で推奨された機種を使用。使い慣れたものがあれば別機種も可。
　－白衣　　化学・生物系の実験のときは必ず着用する。
　－他に，保護メガネを使用するが，これは実験室に用意してある。

1.3 実験の流れ

(1) 自宅での予習　自分が実験を行う上で少しでもスムーズに行えるように，実験テキストのテーマ全体に目を通した後、概説，［目的］，［原理］，［実験方法］を熟読する。その上で，レポートシートの〈目的〉，〈原理〉，〈実験方法〉を記述する。

(2) 予習の提示（レポートシート）　実験室に入ったらすぐに実験室の条件（天気，気温，湿度，気圧など）をレポートシートに記入し，各実験室の教卓で，教員に予習したレポートシートを提示する。その際，レポートシート冊子の表紙に貼ってあるバーコードで出席をとる。

予習を忘れた者，レポートシート冊子を忘れた者は，速やかに担当教員に申し出る。指示がなくとも，教員の説明前に器具ボックス内の BOX 内器具リストに従って器具の有無を確かめ，洗浄，乾燥を行っておくとよい（p.19 **ガラス器具の洗浄** 参照）。遅刻は原則として認めないが，やむを得ない事情がある場合は教員に申し出る。

(3) 実験開始　教員による説明を聞いた後，注意事項をよく読んで実験を始める。

・実験開始前に器具が破損していたり，不足していたときは，準備室に申し出る。実験中に器具が破損したり故障が生じた場合は，まず担当教員に知らせる。

・こわれやすい実験装置もあるので，器具や装置はていねいに扱う。また，無断で机上の器具や装置を他の机上のものと交換してはならない。

・レポートシートには測定値，観察事項はもちろんのこと，試薬の情報など必要事項を記入する。

(4) 実験結果のチェック　実験終了後，実験室の条件（天気，気温，湿度，気圧など）を再度レポートシートに記入し，実験結果や実験室で得た情報などと一緒に，〈結果〉の欄を記述したレポートシートを担当教員に見せる。実験についてのディスカッション終了後，レポートシート冊子の表紙に貼ってあるバーコードにより実験終了の確認をとる。実験日の印を押したレポートの表紙を受け取る。

(5) レポートの作成　「考察のポイント」を確認しながら，レポートシートの〈考察〉の項目を記述し，表紙と一緒に〈目的〉，〈原理〉，〈実験方法〉，〈結果〉，〈考察〉を記述したレポートシートをホッチキスで指定箇所をとめる。

(6) レポートの提出　同じ曜日の次の実験開始前までに化学実験棟にあるレポート提出箱（曜日・時限別）に提出する。レポートは，そのテーマを行った実験室と同じ階にある提出箱に期限を守って投函すること。表紙に検印のないレポートは採点されないので注意すること。

2 化学実験室への案内

化学・生物実験は，特別な指示がない限り，化学実験室（以下，実験室という）で行う。

実験室は実籾キャンパス4号館（化学実験棟）の1階（第1学生実験室）と2階（第2学生実験室）にある。2つの実験室はまったく同じ構造であるが，実験テーマにより使用する実験室が異なるので，予定表をよく確認し，間違えないように注意する。

実験の日程表が配付資料と実験室入口横の掲示板に示されているので，あらかじめ実験テキストの表紙の裏の予定表に各自の実験日，実験テーマ，実験室を記入しておくとよい。

第1学生実験室（1階）とその周辺の見取り図を図Ⅰ−1に，第2学生実験室（2階）とその周辺の見取り図を図Ⅰ−2に，実験台の班番号と合わせて示す。

実験台の割当ては，第1回目以降に，化学実験棟1，2階の掲示板に掲示する。化学実験室で実験するときは，割り振られた班番号と同じ実験台番号の実験台で実験を行う。実験台番号は図Ⅰ−1および図Ⅰ−2に示してある。

実験に必要な物品以外はすべて実験台下部の引出し，あるいは戸棚におさめる。

実験台上の棚および班の番号のついた箱には，各班に割当てられる実験器具が配置されている。

試薬台（窓際）には全員が共通に使用する試薬類や機器などが用意される。

ドラフトチャンバー（ドラフト）は，有害な気体などを扱う実験を安全に行うために強制換気装置を付けた小部屋である。濃厚酸類（たとえば，濃塩酸，濃硫酸，濃硝酸など）は，このドラフト中に用意されている。

純水採水台にあるポリタンクにはイオン交換水が入っている。実験操作で使用する水や洗浄したガラス器具を最後にすすぐときなどに使用する水は，すべてこのイオン交換水（純水）である。

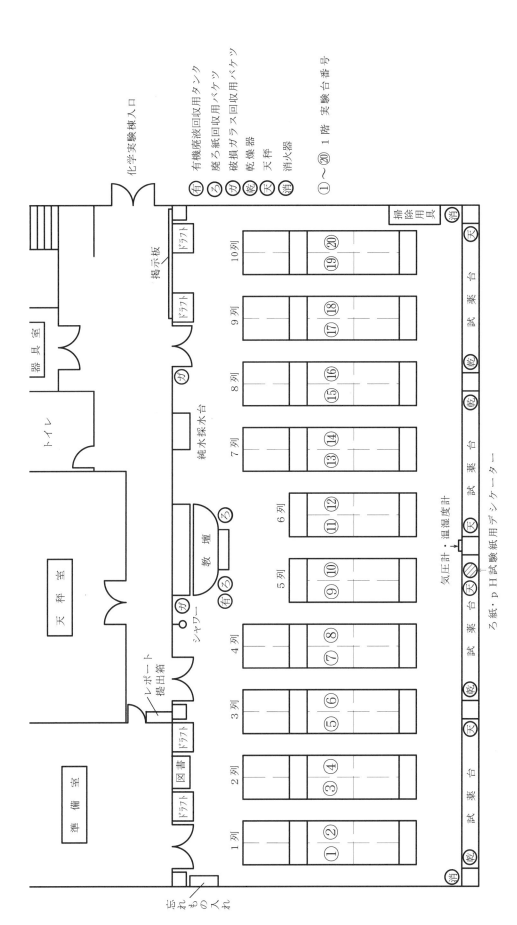

図Ⅰ－1　化学実験棟 1階 第1学生実験室案内図

－ 5 －

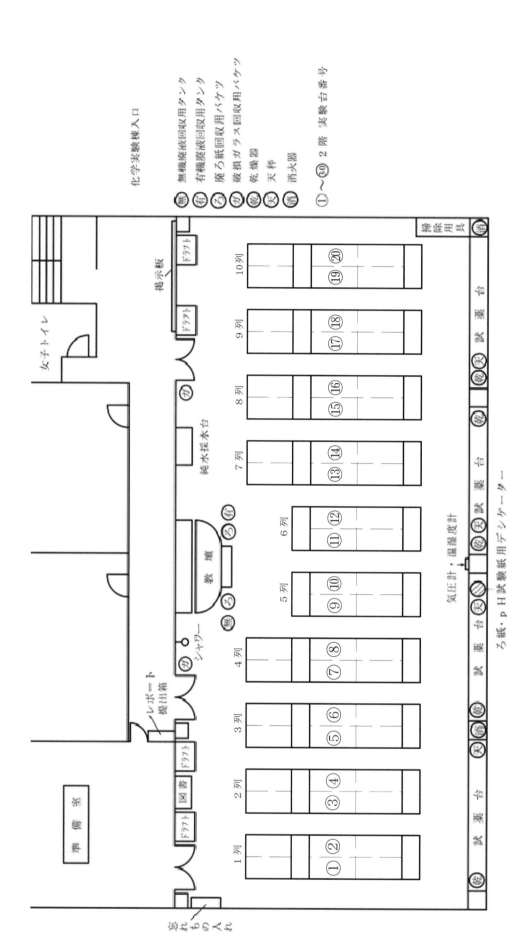

図Ⅰ−2　化学実験棟　2階　第2学生実験室案内図

無機廃液回収用タンク　化学実験棟入口

無　無機廃液回収用タンク
有　有機廃液回収用タンク
ろ　廃ろ紙回収用バケツ
ガ　破損ガラス回収用バケツ
乾　乾燥器
天　天秤
消　消火器
①〜⑳　2階　実験台番号

3 化学実験室における実際的注意

化学・生物実験は危険を伴うこともあり，身勝手な行動をとったり，無責任な行為をすることは，自分自身だけではなく，他人にも迷惑をおよぼしかねない。以下の注意は化学実験室では最低限守るべきことがらであり，熟読の上，実験を行うように心がける。

3.1 実験室における心得

（1）実験室内の秩序維持

実験室内では，脱帽，静粛を守り，私語を慎む。また，実験に際しては，**白衣を着ること**はもちろんのこと，足廻りや髪などにも十分な配慮が必要である。白衣を着ないで実験を行うと思わぬ危険に遭遇することがある。また，実験台の引き出しに**保護メガネ**が用意されているので，その着用を励行し危険防止を心がける。**当然のことながら飲食物の持ち込みは厳禁である。**

（2）時間厳守

授業のはじめに，薬品の危険性などを含めてその日の実験の説明を行うので，**遅刻しないように特に注意する。**また，実験時間が限られているので，十分に予習することにより，要領よく迅速に実験を進行させるように心がける。

（3）実験台の整理整頓

実験を始める前には，まず実験台を整頓し，不要なものは台上に置かないようにする。カバンやコート類は所定の場所にしまう。雑然とした状態では円滑に実験が進行しないばかりでなく，事故を起こしやすい。また，実験中でも台上はきちんと整頓しておかないと，操作に混乱を招き思わぬ失敗を起こしかねない。

3.2 実験開始前の準備

（1）実験テキストの熟読および予習

予定された実験について十分に予習しておく。予習については前述のように，レポートシートに「目的」，「原理」，「実験方法」を記述する。予習をすることで，ミスも少なく，安全に実験を進めることができる。

（2）器具・試薬の点検

　実験器具が BOX 内器具リスト通りそろっていることを確認する。また，ひびが入って
いたり，口が欠けているガラス器具を使用することは危険なので，十分な点検を行う必要
がある。もし足りない器具や破損器具があれば，**準備室**に申し出て各自補充する。ガラス
器具は実験開始前に洗浄しておく（p.19 **ガラス器具の洗浄** 参照）。また，乾燥した器具を
使用しなければならない実験もあるので，注意が必要である。洗びんの純水の量も最初に
点検し，不足があれば補充しておく。天秤や恒温水槽などの共通器具の設置場所もあらか
じめ確認しておく。

3.3　実験中の注意

（1）観察と記録

　実験中の観察は詳細に行い，ただちにレポートシートに記録しておく。これはレポート
を作成する上で重要な役割を果たす。万一，結果に疑問が生じたり実験中失敗したと考え
られる場合，原因究明の手掛りとなるのは観察記録だけであるので，これがないと教員か
らの適切なアドバイスは望めない。

　また，予習の段階でレポートシートに記載されている操作の系統図（フローチャート）
などには，観察事項を記入できるスペースが設けてあるので，どこで観察記録を残すか確
認しておく。

（2）実験に用いる器具

　実験に使用する機器は，実験テキストおよび説明書をよく読み，操作方法を理解した上
で使用する。実験に用いる器具は，ガラス器具が多いので，その特徴を熟知して実験操作
を行わないと思わぬ失敗や事故の原因となりかねない。たとえば，「ガラス類は熱した後，
急に冷却すると割れる」ということを十分知っているにもかかわらず，実験を急ぐあまり，
そのような操作をして器具を破損し，せっかく作った試料まで失ってしまうことがしばし
ば起こる。

（3）試薬の取扱い

　使用する試薬は，共通用の試薬台に用意されているので，指定された容器に必要な量だ
け試薬をはかりとる。試薬をとるときは，濃度表示と化学式をよく確認する。また，**1度と
った試薬は，原則として元の容器に戻してはならない**。

試薬の使用量については，必要最少量にとどめる。過量の使用は無駄であるばかりでなく，実験操作に時間を浪費し，また，操作上別の反応を引き起こす可能性があるため，避けなければならない。

（4）廃棄物の処理

化学実験棟には廃水処理施設が付設されている。「環境汚染の原因となるものは，発生源で処理し，外部へは流出させない」という観点からの施設であるが，有害物質を多量に含む廃液に対しては処理能力の限界を越え，外部流出を招くこともある。

そのため，**化学実験室からは有害物質を外部へ流出させてはならない**という前提に基づき，以下の回収方法を行っている。この注意は必ず守るべきことがらであり，特に神経を使って行うこと。

    (a) 実験中に出た廃液は教壇脇の所定の**廃液タンク**に捨て，流しには絶対に捨ててはならない。

    (b) 使用済みのろ紙や試験紙なども同様に，所定の**廃ろ紙入れ**（教壇脇の**緑色ポリバケツ**）に捨てる。

    (c) 個別の回収溶液，廃棄物がある場合は，テキストや教員の指示に従う。

（5）破損器具の処理

ガラス器具を破損したときの破片は，ほうきとちり取りを用いて回収し，用意された破損ガラス回収用の**赤色ポリバケツ**に捨てる。さらに，各自で準備室に申し出て補充用の器具を受け取る。他の器具が壊れた場合は教員に申し出る。

（6）実験を失敗したら

実験を失敗したと思ったときは，そのままの状態で教員に相談する。失敗の原因がわからないにもかかわらず再度実験を始めると，その失敗を繰り返すことになりかねない。また，結果が周りの人と同じでなくとも，あわてる必要はない。周りの人が正しい操作をしていないこともありうるからである。

何らかの処置によって実験が続けられることも多いから，失敗したと思っても試料を捨ててしまったりしないようにする。

3.4 実験が終わったら

実験が終了し，かつ実験台の整理整頓が済んで，初めてその実験がすべて完了したといえる。次に使用する人が不快感を持つようでは，満足な実験ができたとはいえない。

実験終了後は次の後始末を必ず実行すること。

(a) 器具はきれいに洗浄し，水をよく切って，BOX 内器具リスト通りにそろえる。

(b) 実験台上の廃液入れ，廃ろ紙入れの中の廃棄物は，所定の回収容器に捨てる。

(c) 実験台上をきれいにぞうきんで拭く。

(d) 水道の蛇口およびガスの元栓が閉じていることを確認する。

(e) 後始末が終了したら，器具の点検を受ける。

すべての作業が終わったら，レポートシートと実験結果をもとにして教員との簡単なディスカッションを行う。このとき，レポートの表紙を受け取る。

レポートシートに次の各項目が書かれていることを確認してから，ディスカッションに臨むこと。

＊実験時の条件（天気，気温，湿度，気圧など）

＊使用した試薬の詳細データ（試薬びんのラベルの記載事項など）

＊実験中の観察

また，時間的余裕のある学生はレポートの下書きを作り，それについて教員のアドバイスを受けることもできる。

実験室における事故防止および救急処置

化学実験は常に危険を伴う。普段から危険性を認識し，避難路や消火器の位置を確認しておくと，実際に事故が発生しても，最小限の災害でくいとめることができる。また，やけど，けが，爆発，中毒などの事故を未然に防止するために，各自が器具や薬品などの危険性をあらかじめ知っておく必要がある。実験室には，「**実験を安全に行うために**」という本が置いてあるので，使用する試薬の危険性と災害時の対策について読んでおくとよい。

万一事故が起こった場合，あわてると災害を大きくする。事故を起こした本人は気が動転している場合が多いため，本人よりむしろ近くにいる人が冷静に適切な処置をとるべきである。また，すみやかに教員に報告して指示を受ける。以下，円滑にしかも適切な措置がとれるよう簡単な救急処置の方法を記しておくので，十分心得ておく。

(1) 引火したとき

少量の引火性有機溶媒（アルコールなど）に引火したときには，まず，ガス，電気を止め，近くの燃えやすいものを取り除き，ぬれぞうきんをかぶせる。水をかけてはならない。

多量の溶媒に引火したときは，消火器を用いて消し止める。

(2) 衣服に火がついたとき

ぬれぞうきんでたたき消すか，床に転がってもみ消す。周囲にいる者も，白衣などを用いてたたき消す。決して，あわててかけまわらない。

(3) やけどをしたとき

すぐに水道水で冷やす。最低 30 分くらいは冷やし続ける。広範囲のやけどの場合は"一刻も早く病院へ"ということを原則として考える。

(4) ガラスなどにより外傷を受けたとき

傷口をガーゼなどでふきとり，消毒後，押してみて非常に痛ければガラスの破片などが入っているので，取り除くことを第1に考える。

(5) 強酸・強塩基の溶液が皮膚についたとき

どちらの場合も，ただちに多量の水で洗う。その後，酸のときは炭酸水素ナトリウムの希薄溶液で中和し，塩基のときは，酢酸の希釈したもので中和する。

(6) 目に試薬が入ったとき

すぐに多量の水で最低15分間は洗浄する。水洗が第1である。目は決してこすらない。ただちに医療機関へ行く。

実験室には保護メガネが用意されているので，その着用を励行する。

(7) 毒物を飲んだとき

すぐ多量の水を飲ませ，指を口の奥に入れて吐かせる。これを2〜3回繰り返し，ただちに医療機関へ行く。

(8) 有毒ガスを吸いこんだとき

すぐ外へ出て，新鮮な空気で深呼吸をし，横になる。症状がひどければ，医療機関へ行く。

4 実験結果のまとめ方

4.1 レポートシート

レポートシートは化学・生物実験のノートの代用とし，通常，実験に関するあらゆることを記述するために用いる。まず，予習のまとめや予習中の疑問点など，実験の下準備としての利用があげられる。次に，実験中の観察事項や実験データの記入がある。これは後でレポートを作成する場合の唯一の資料となるものであるから，その場でただちに書きとめなければならない。

レポートシートの記述方法は，各自で考えて最良の方法を見い出すようにする。実験室の条件（天気，気温，湿度，気圧など）なども忘れずに記入しておく。また，繰り返し同じような実験を行う場合でも，実験条件など明確に記入しておいた方がよい。筆記用具に関しては，鉛筆を勧める。インクやボールペンを用いると，水や有機溶媒にぬれた場合など，必要な事項が無に帰す恐れもある。

4.2 有効数字の取扱い

有効数字とは，いく分不確かな数字1つを含めて数値を形成する意味ある数字のことである。たとえば，最小目盛が 0.1 ℃ の温度計では，0.01 ℃ の桁まで目分量で読みとることができるから，読みは 17.61 ℃ というように表される。「1」，「7」，「6」，「1」がこの場合の有効数字であり，その桁数は4桁である。このように有効数字をはっきり示すことは，その数値がどの桁まで信頼できるかということをも同時に示すことになる。17.61 は有効数字であるから，勝手に最後の桁の数字1を四捨五入して 17.6 にしたり，最後に0をつけて17.610にしてはいけない。17.6 や 17.610 にすると，誤差の程度が変わり，表す意味が異なってくる。また，500 mL というような表記では，有効数字が何桁であるかわかりにくいので，有効数字の桁数を明確に表すには，測定値の整数部分が1桁の小数にし，それに 10 の累乗を掛けて，5×10^2（有効数字1桁），5.0×10^2（2桁），5.00×10^2（3桁）のように書く方がよい。

数値計算を行う場合にも，有効数字には常に注意を払わなければならない。その場合，以下のように，真の値との誤差範囲を考えるとわかりやすい。測定値 12.3 では，±0.05 が誤差の範囲となるので，真の値 x は $12.25 \leqq x < 12.35$ の範囲にあることになる。

加減算の場合　32.6 と 1.52 の和を求めるとき，そのまま加えれば 34.12 になる。しかし，誤差を考えると，真の値 x は，次式で表され，34.12 の末位の 2 は無意味になる。

$$32.55 + 1.515 \leqq x < 32.65 + 1.525 \quad よって \quad 34.065 \leqq x < 34.175$$

すなわち，この場合 34.12 の 2 桁目(34.12)までは確実であるが，3 桁目(34.12)は多少不確実になり，有効数字を考えた値は 34.1 となる。

　一般に，測定値の加減算では，測定値の末尾を四捨五入などの方法で処理して，位取りの高いものに末尾を合わせて計算する。上の例では，1.52 を 1.5 にして，小数第 1 位に位取りを合わせて計算する。

$$32.6 + 1.52 \fallingdotseq 32.6 + 1.5 = 34.1$$

　なお，1.52 は 1.5 に比べて誤差の範囲がより小さいことに 1 つの意味があり，多数の測定値の和を考えるときには有用である。たとえば，上の計算にさらに 2.57 を加える場合，初めに 1.52 と 2.57 を加え，その和 4.09 を四捨五入して 4.1 とし，これに 32.6 を加えた方が正確な値となる。つまり，位取りの高いものより 1 桁多くして計算し，最後の答えを位取りの高いものに合わせる方法が，より一般的な有効数字を考えた計算になる。

$$32.6 + 1.52 + 2.57 = 36.69 \fallingdotseq 36.7$$

乗除算の場合　132.3 と 7.2 との積を求めるとき，この値をそのまま用いると，132.3×7.2＝952.56　となる。しかし，誤差を考えると，真の値 y は次式で示される。

$$132.25 \times 7.15 \leqq y < 132.35 \times 7.25 \quad よって \quad 945.5875 \leqq y < 959.5375$$

すなわち，952.56 の 1 桁目(952.56)までは確実であるが，2 桁目(952.56)は多少不確実である。3 桁目(952.56)はその範囲を限定するには有用であるが，無意味な数字であり，4 桁目以下は全く無意味な数字である。したがって，y を示す数値として有効なのは 2 桁であり，9.5×10^2 のように表す。

　一般に，測定値の乗除算では，有効数字の桁数の最も少ない数値より 1 桁多く計算し，答えの桁数は，四捨五入により桁数の最も少ない数値に合わせる。上記の例では，3 桁で計算し，答えは 2 桁にする。

$$132 \times 7.2 = 950.4 \fallingdotseq 950 = 9.5 \times 10^2$$

　有効数字の注意事項として次のような場合がある。

　1 個の質量が 12.0 g の物体の 8 個の質量を計算で求めてみる。このとき，8 個の 8 を有効数字 1 桁として，$8 \times 12.0 = 1 \times 10^2$ [g] としてはいけない。確定した数値である 8 の有効数字は 1 桁ではなく，無限大と考えるので，$8 \times 12.0 = 96.0$ [g] となる。

　同様に，「物質 1 mol あたりの質量」とか，「亜鉛イオンの価数は 2」，「反応式の係数が 3」などの場合，これらの 1，2，3 の数字の有効数字の桁数は，無限大であると考えてよい。

4.3 グラフの描き方

ある現象または物理量とそれに関係ある物理量との関係をグラフで表すことは，関数関係の様子を知るのに便利であるとともに，測定値の確かさを見るのに役立つ。そのときの一般的注意を述べる。

（1）　目盛のとり方　　原則として，軸上の単位は1目盛が測定値の有効数字の最後の桁に等しいように選ぶ。実際にはこの通りには定められないことが多い。特に著しく変化する量の場合には，図形が一方の軸の方に極めて長くなり，全体の様子がつかみにくくなる。このときは，軸上の目盛を適当な大きさの単位に選び，2量の関係を示す曲線が，両軸に対してほぼ45°傾くようにとる。

（2）　測定点はだいたい直径1～2mmの小円で表す。特にその点の誤差が最小目盛以上のときは，線分で誤差の範囲を示す。

（3）　曲線または直線は，測定点が実験曲線の上下，左右に均等に分布するように，なめらかに描く。

（4）　グラフの内容に合わせたタイトルをグラフの下に付ける。

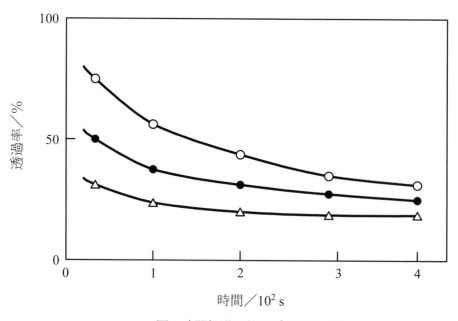

図. 時間経過に伴う透過率の変化

○：測定条件 A ，　●：測定条件 B ，　△：測定条件 C

5 レポート作成のヒント

5.1 レポートを書く心得

レポートは一般に調査や実験などの過程や結果を報告するものである。したがって，各自が言わんとすることを読む人に正しく，また十分に把握してもらえるような文章と内容が要求される。このため，

- ・簡潔な文章を用いて，**ていねいに書く**
- ・実験の目的と結果および考察が対応している
- ・図，表などを用いて結果をわかりやすく示す

ことなどが必要である。これらを念頭に置いて，以下に記述するようなレポートの形式に従って書く。

また，レポートは，自分の力で早め早めに自宅で作成し，提出締め切り日ぎりぎりといわず，事前に提出するように心がけよう（提出最終日に，実験室で作成するべからず）。

やってはいけないこと：他人のレポートを写す，または写させる。webサイトから丸写しする。

5.2 レポートの形式

レポートは通常，以下の項目から成り立っている。
- （1）目的
- （2）原理
- （3）実験方法
- （4）結果
- （5）考察
- （6）参考文献

これらの項目の詳細については，5.3 に記してある。

また，レポート作成に関して注意すべきことがらを，以下に示した。

- ・この実験のレポートは，鉛筆を用いて書くことを推奨する（**本来レポートは万年筆かボールペンで書くことが一般的である**）。図なども鉛筆で描いてもよい。
- ・文体は敬体（「です」，「ます」調）ではなく，常体（「である」）を使う。
- ・＜考察＞は上記各項目中で最も大切な部分であるので，参考文献なども参照しながらじっくり考えて書くこと。考察は感想ではないことに注意する。
- ・各項目とも細かいことを長々と記述するのではなく，必要な点を要領よく簡潔にまとめ，自分の言葉で書く。
- ・完成したら，表紙を付け，上部2カ所をホッチキスでしっかりととめる。レポートの表紙は配布されたものを使用し，必要事項をすべて**ペン書き**で記入すること。

5.3 化学・生物実験でのレポート

　レポートの取扱いおよび一般的な記載方法については，1.3(5)(6)，5.1 および 5.2 に記してあるので，これを読み十分に理解した後，レポートを作成する。

　レポートの内容として必要な項目は，前述の通りであるが，これ以外に，＜あとがき＞を追加してもよい。また，実験の種類によっては方法と結果などをまとめて記してもよい。

　基本的には，レポートシートは＜考察＞を含め，本書を熟読すればまとめることができる。本書III編で扱う各実験テーマに関する記述は，大きく，概説，実験，参考の項目に分かれ，さらに実験の項は，［目的］，［原理］，［器具］，［試料および試薬］，［実験方法］，［結果のまとめ］，［予習してくる項目］，［考察のポイント］に分かれている。

　［考察のポイント］の中には，（発展）ということで，本書のみでなく他の参考書などを調べなければ理解できないものもある。図書館の蔵書や自分の手持ちの本なども，意欲的に活用してほしい。

　ここでは，レポートシートの具体的な記載について，基本操作実験を例に記しておくので，おおいに参考にしてほしい。

＜目　的＞：実験の目的を数行以内にまとめ，明確に記す。概説や［目的］を参考にまとめるとよい。

＜原　理＞：実験で扱う現象の理論的説明を自分なりに理解して記す。概説や［原理］を参考にまとめるとよい。

＜実験方法＞：自分が行う実験操作を再現するのに必要最低限の情報を段落ごとに簡潔に現在形でまとめる（**一般的には過去形で記述する**）。実験テキストの[実験方法]を丸写しするのではないことに，くれぐれも注意する。ただし，実験テキストとは異なる方法を用いた場合は詳細に記す。

　実験テキストにおける［実験方法］の記述

　　（1）　上皿電子天秤（使用法は p.34 参照）を用い，乾燥したビーカー(50 mL)の質量を測定する。

　　（2）　天秤にビーカーをのせたまま，ミクロスパーテルを用い，選択した塩化物試料を約 1.00 g はかりとる。

　　（3）　ビーカーに純水約 20 mL を入れ，ガラス棒でかき混ぜ，溶解する。

　レポートでの＜実験方法＞の記載例

　　　　上皿電子天秤を用い，乾燥したビーカー（50 mL）に塩化物試料を約 1.00 g をはかりとる。そのビーカーに純水約 20 mL を入れ，溶解する。

<結　果>：観察事項，測定値，計算値などを記す。表やグラフの活用など見やすさの工夫も必要である。また，計算値などの場合，これらの結果が導き出された過程を明記するとともに，有効数字，誤差，単位などに細心の注意を払うこと。実験データに必要と思われるときは，実験室内の環境条件を記すこと。

> 例（文章でまとめた場合）
> 選択した塩化物　－　塩化リチウム
> 塩化リチウム　－　白色粉末，形状は食塩と似ていた
> ビーカーの質量　－　34.273 g
> 塩化リチウムの質量　－　1.023 g
> 水の使用量－塩化リチウムの入ったビーカーの目盛りで 20 mL
> 水を入れ，かき混ぜたらすぐ溶けた。溶液は無色透明だった。
> この溶液のおおよそのモル濃度の算出
>
> $$塩化リチウムの式量 = 6.941 + 35.45$$
> $$= 42.39$$
> $$c\,(モル濃度) = \frac{1.023\,(\mathrm{g})}{42.39\,(\mathrm{g/mol})} \times \frac{1000\,(\mathrm{mL/L})}{20\,(\mathrm{mL})}$$
> $$= 1.2\,(\mathrm{mol/L})$$

<考　察>：得られた結果の整理と検討より考察が生じる。<目的>および<原理>に照らし合わせて，得られた結果からわかったことをまとめ，その結果の妥当性などを検討する。他の班の実験結果や参考書と比較し，客観的に検討し意見を述べるとよい。結果が数値の場合は相対誤差や確率誤差を計算し，標準値があればそれと比較してみるのもよい。

また，結果が予想と異なったとき，その原因を種々の面から検討することも大切である。

各テーマごとに[考察のポイント]が記してあるので，有効に活用する。書き慣れないうちは，実験における操作および結果ごとに"何故？"という疑問を抱き，その疑問に解答する要領で記述していく方法をとってもよい。[考察のポイント]の中には（発展）もいくつかあるので，これにもぜひチャレンジしてほしい。

<あとがき>：反省や感想，意見などを記入する。

<参考文献>：レポートを書くにあたり参考にした本や雑誌・論文などを記載する。必要な情報は，"書名"，著者名，出版社名，（発行年）引用ページである。例を以下に示す。

"化学便覧（基礎編）"，改訂5版，日本化学会編，丸善，（2004）p.999

科学文献の調べ方について

　科学文献は，研究報告がそのまま記載されている一次文献とそれらをまとめた二次文献とに分けることができる。知りたい情報により，目的にあった調べ方があるが，その情報について書かれた本（成書）から入ることを奨める。以下に，化学に関する代表的な文献について記載しておくので，実籾キャンパス，津田沼キャンパスの図書館に足を運んでおおいに利用しよう！

一次文献：雑誌，研究機関報告，学会講演予稿集など

　　・Bulletin of the Chemical Society of Japan （日本化学会発行の国際誌）

　　・分析化学（日本分析化学会発行の学術雑誌）

　　・化学と教育（日本化学会発行の教育関係の学術誌）

　　・日本大学生産工学部研究報告A(理工系)（本学部の研究報告雑誌）

二次文献：抄録・索引誌，参照図書，学習図書など

　　・Chemical Abstracts（国際的に最も利用される化学の抄録誌）

　　・化学便覧（現在の化学の基礎的知識が整理された信頼できるデータブック）

　　・分析化学便覧（化学分析の総合的なハンドブック）

　　・理科年表（最もポピュラーな科学関係のデータ集）

　　・化学大辞典（化学全般にわたり専門用語や物質について解説された辞典）

　　・生化学辞典（生命科学の全領域がカバーされた辞典）

実験関係の参照図書

　　　・実験化学ガイドブック（化学実験に必要な情報などが実用的に編集された書物）

　　　・実験化学講座（全30巻からなる化学実験に関して集大成された講座書）

　　　・化学実験操作書，イラストで見る化学実験の基礎知識

　　　　　　　　　　（化学実験の基礎的事項を記述した化学実験の入門書）

　　　・機器分析のてびき（機器を扱う際のノウハウや注意点をやさしく解説した成書）

インターネット

　インターネットを利用し上記の文献等を閲覧することができる。インターネットを利用する場合は，①著者が不定なサイトからは引用しないこと，②情報源をたどれるサイト以外は利用しないこと，など情報モラルを守ることが重要である。

　参考文献としての記載方法

　　“著者”“タイトル”“全URL”“閲覧年月日”

II 基本操作

1 器 具 の 取 扱 い

2 試 薬 の 取 扱 い

3 沈 殿 の 取 扱 い

4 バ ー ナ ー の 使 用 法

5 測 容 器 具 お よ び 使 用 法

6 天 秤 の 使 用 法

7 基 本 操 作 実 験

1　器具の取扱い

1.1　実験に用いる一般的器具

　図Ⅱ－1には，一般的に用いられる器具の図と名称が示されている。多種類の器具が表示されているが，器具の機能と目的に応じて使い分ける。

1.2　ガラス器具の洗浄

　実験に使用するガラス器具は清浄でなければならない。化学・生物実験で清浄な状態とは，外側，内側ともに全面が水でぬれる状態のことをいい，水が水滴状に表面についている状態は汚れが残っていることになる。ガラス器具の汚れは，放置しておくと酸化や乾燥などによりとれにくくなるので，使用後すぐに洗浄する。

　ガラス器具の洗浄には，使用目的により種々の洗浄方法があるので，何の操作に用いる器具なのかをよく考えて洗浄する。たとえば，正確な体積をはかるメスフラスコやピペット類をクレンザーなどで洗浄するのは，ガラスに傷を付けることになるので好ましくない。

　一般的なビーカーやフラスコ類の洗浄は次のように行う。

①　ブラシにクレンザーをつける。

②　ブラシでこすり，物理的に汚れを落とす。

③　次に，水道水でよくすすぐ。

④　純水を用いて再度すすぎ，水がよくきれるようにふせておく。

　十分に洗浄されたかどうかの目安として，ガラス器具の表面が一様に水でぬれていること，局部的に水をはじいたりしていないこと，透明な感じを与えていることなどがあげられる。

　ブラシやクレンザーを用いても汚れが落ちない場合がある。そのときは，薬品（有機溶媒や濃酸，濃アルカリ溶液）を用いて落とすこともできるが，操作を誤ると危険なこともあるので，教員の指示によく従うようにする。

　洗浄中に誤って器具を落としたり，流しにぶつけて割ることが多いから注意する。

　また，実験によっては，乾燥した器具を用いなければならないときもある。特に，有機溶剤を用いるときは，十分乾燥した器具を使用する。

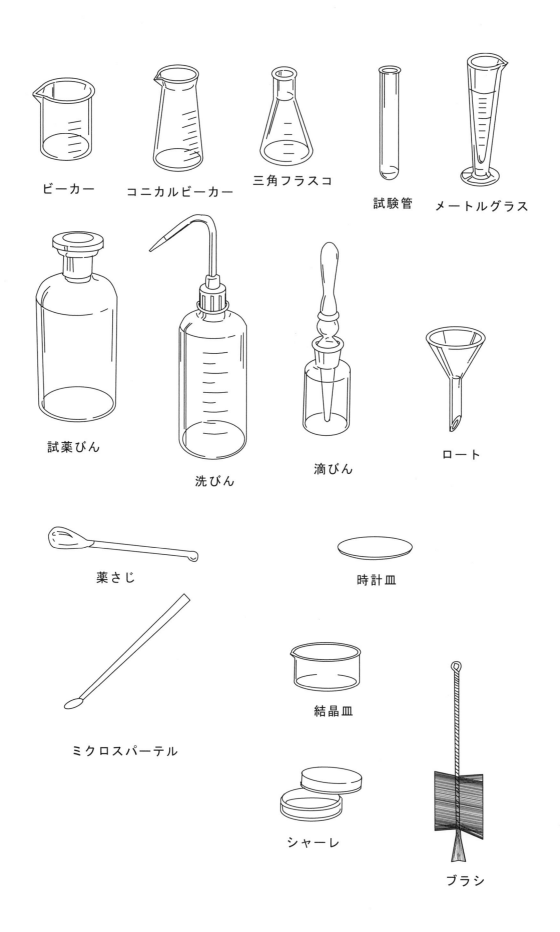

ビーカー　コニカルビーカー　三角フラスコ　試験管　メートルグラス

試薬びん　洗びん　滴びん　ロート

薬さじ　時計皿

ミクロスパーテル　結晶皿

シャーレ　ブラシ

図Ⅱ-1　主な実験器具と名称

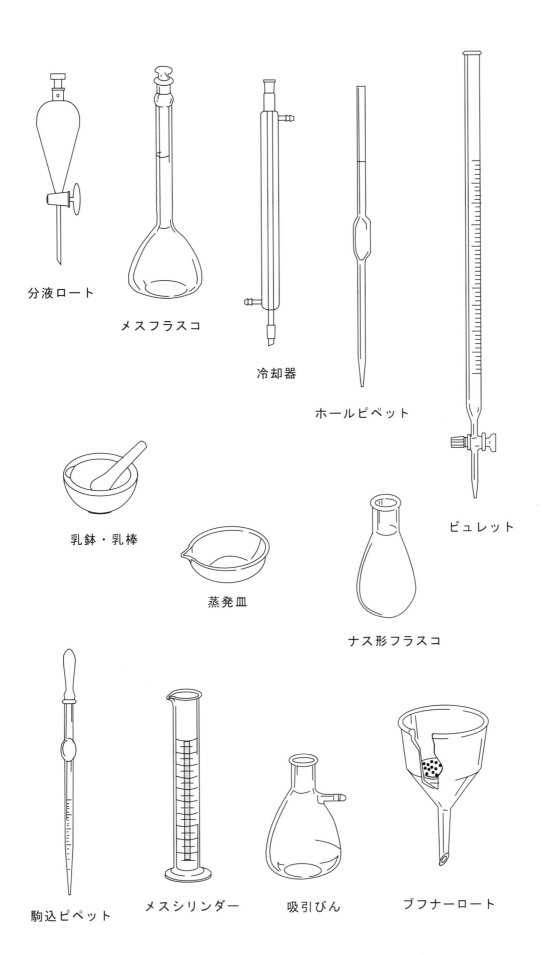

分液ロート

メスフラスコ

冷却器

ホールピペット

ビュレット

乳鉢・乳棒

蒸発皿

ナス形フラスコ

駒込ピペット

メスシリンダー

吸引びん

ブフナーロート

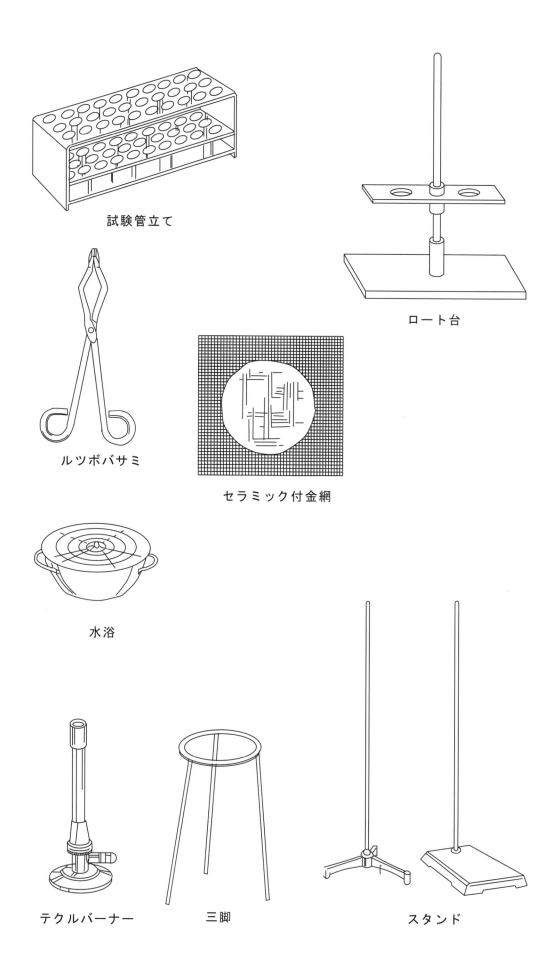

試験管立て

ロート台

ルツボバサミ

セラミック付金網

水浴

テクルバーナー　　三脚　　スタンド

2 試薬の取扱い

2.1 化学薬品の分類

　化学・生物実験においては，必ずといってよいほど化学薬品を使用するので，その取扱いには十分注意する必要がある。実験室で取り扱う化学薬品の中には，発火または引火して爆発や火災の原因となったり，皮膚をおかしたり，吸入すれば中毒を起こしたり種々の危険性を有する物質が数多くある。消防法による分類などもあるが，表Ⅱ−1に化学・生物実験において常用する危険な物質を12種類に区分して示したので，これらに属する物質を使用する場合，その性質と取扱い方を前もって調べ，安全に実験を行うように心がける。

表Ⅱ−1　危険な物質の特徴と例

区　分	特　徴	物 質 の 例
酸化性固体	酸化されやすい物質と混合して加熱されると発火して激しく燃焼する固体の酸化剤で，爆発するおそれもある。	塩素酸塩類，無機過酸化物 など
可燃性固体	低温で引火しやすく，引火すると激しく燃焼する固体で，自然発火や有毒ガス発生のおそれがある。	赤リン，金属粉 など
自然発火性物質	空気にふれると自然発火するため，空気にふれないように密封し，可燃物から離して保管する。	黄リン，金属水素化物 など
禁水性物質	水と接触すると激しく反応して，発火や可燃性ガスの発生による引火のおそれがある，。	アルカリ金属，金属水素化物 など
引火性液体	引火性のある液体で，引火性の強さによって区分され，爆発などの危険もある。	ベンゼン，アルコール類 など
自己反応性物質	加熱や衝撃などによって自己反応を起こし，発熱して爆発的に反応が進む物質。	硝酸エステル，ニトロ化合物 など
火　薬　類	爆発を目的として作られたもの。	火薬，爆薬，化工品
酸化性液体	不燃性の液体であるが，可燃物や金属粉などと激しく反応し，発火や爆発することがある。	過塩素酸，過酸化水素 など
可燃性ガス	爆発下限が 10 % 以下，または上下限の差が 20 % 以上のガス。	水素，アセチレン など
毒 性 ガ ス	許容濃度が 200 ppm 以下のガス。	塩素，シアン化水素 など
毒　　物	体重 1 kg 当たり経口致死量 30 mg 以下のもの。	シアン化ナトリウム，水銀 など
劇　　物	体重 1 kg 当たり経口致死量 30〜300 mg のもの。	塩酸，過酸化水素 など

（資料：『実験を安全に行うために』化学同人）

2.2 酸・塩基濃厚試薬

化学・生物実験においては塩酸，硝酸，酢酸などの酸や水酸化ナトリウム，アンモニアなどの塩基を使用することが非常に多い。

表Ⅱ－2にはよく用いられる濃厚な酸・塩基試薬の濃度と密度を示す。これらの濃厚試薬はドラフトチャンバーまたは準備室に保管されている。

また，これらの濃厚試薬を目的の濃度の溶液に調製する場合がある。そのときは，濃厚試薬を必要量とって水で薄めて使用する。ただし，濃硫酸を水で希釈すると著しく発熱し，飛沫を浴びたりする危険性があるので，**濃硫酸の希釈にあたっては特に次の2つの点に注意しなくてはならない。**

＊　備え付けの保護メガネを着用すること。

＊　あらかじめ用意した純水に濃硫酸を少量ずつ加えて，かき混ぜること。

表Ⅱ－2　濃厚試薬

和　　　名	化学式	およその濃度 (M)	質量パーセント (%)	密　度 (g・cm^{-3})
濃　塩　酸	HCl	12	35	1.19
濃　硫　酸	H_2SO_4	18	98	1.84
濃　硝　酸	HNO_3	16	70	1.42
氷　酢　酸	CH_3COOH	17	99	1.05
濃アンモニア水	NH_4OH	14.5	28	0.90

3　沈殿の取扱い

3.1　沈殿の生成

沈殿の生成（precipitation）は化学分析で最も多く用いられる方法であって，特定のイオンを，共存する他のイオンから分離するときに用いる。また，生じた沈殿物（precipitate）の色や外観，性質からイオンの同定を行うこともできる。

沈殿の生成に関しては，溶解度と溶解度積に関する理論があって，難溶性化合物（sparingly soluble compound）の沈殿現象などが説明される。沈殿の生成は温度や溶液の組成にも影響されるが，溶液に沈殿剤を加えるときは少量ずつ滴加し，溶液を静置した後，上澄み液に沈殿剤を1～2滴加えてさらに沈殿が生じなくなるまで行う。このとき重要な

ことは，最終的に沈殿を生じさせたいイオンよりも沈殿剤が小過剰になるように滴加することである。沈殿剤の滴加量が不十分であると，目的とするイオンが溶液中に残ってしまい，以後の分析に支障をきたすことがある。また，沈殿剤の滴加量が多すぎると目的物以外のイオンも沈殿することがあり，やはり分析に支障がある。沈殿によっては，$PbCl_2$ や $PbSO_4$ のように飽和溶液からでも生成しにくいものがある。この場合には反応容器の内壁をガラス棒でこするなどして，沈殿の生成を促す方法が有効である。

3.2　ろ過

　沈殿を溶液から分離する操作をろ過（filtration）という。ろ紙を用いた場合には，図Ⅱ－2に示すように 1／4 円に折り，一部を開いてできる円錐をロートに入れ，純水でろ紙を湿らしてロートに密着させる。一般的につるつるの面を外側にする。

　沈殿を含む試料溶液をろ紙の上からガラス棒を用いて流し込み，沈殿とろ液（filtrate）に分ける。このとき，できるだけ沈殿をろ紙の中心に集めるようにする。容器に付着した沈殿はろ液またはろ液に近い組成を持つ少量の溶液で洗い流す。

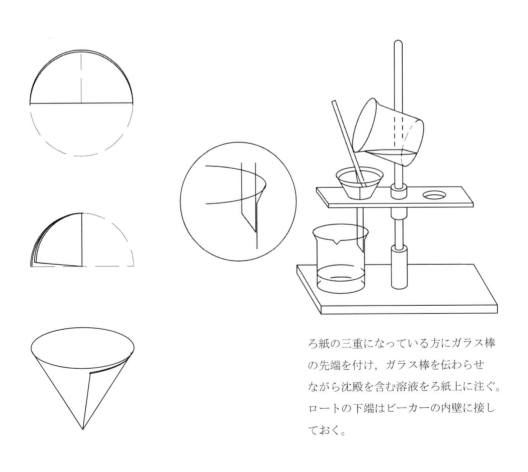

ろ紙の三重になっている方にガラス棒の先端を付け，ガラス棒を伝わらせながら沈殿を含む溶液をろ紙上に注ぐ。ロートの下端はビーカーの内壁に接しておく。

図Ⅱ－2　ろ紙の折り方とろ過の方法

3.3 吸引ろ過

アスピレーターや吸引ポンプなどで吸引びん内を減圧にし，ブフナーロート中の液面に圧力を加えて，ろ過を促進する方法である。多量の液を短時間に処理したり，ろ過しにくい状態の溶液を速くろ過するときに用いられる。使用方法を以下に記す。ブフナーロートの径よりやや小さめの**ろ紙をろ過板上に置き**，ろ過する溶液と同一の溶媒でろ紙を湿らせる。アスピレーターの水道水を出してから，または吸引ポンプの電源スイッチを ON にしてから，吸引びんにゴム管をつなぎ，軽く吸引し，ろ紙をろ過板上に密着させる。吸引びんにつないだゴム管をいったんはずしてから，ブフナーロートにろ過しようとする溶液を入れ，再び，吸引しながら溶液をろ過する。ろ過終了後，吸引びんにつないだゴム管をはずし，アスピレーターの水道水を止める，または吸引ポンプの電源スイッチを OFF にする。決して，ろ過終了後，最初に水道を止めたり，電源スイッチを OFF にしてはいけない。

3.4 デカンテーション

沈殿を含む溶液を静置すると，沈殿は沈降して上澄み液ができる。この上澄み液を静かに他の容器に移すと，ろ液（母液）の大部分が沈殿と分離できる。このような沈殿の分離法をデカンテーション（decantation）という。デカンテーションは金属炭酸塩など粒子の細かな沈殿や，通常のろ過では時間がかかるような沈殿を分離する際に有用な手法である。

3.5 沈殿の洗浄

ろ別した沈殿は，常に少量の母液を含んでいるため，これを除去するために洗浄を行う必要がある。洗浄液は通常沈殿剤を少量含んだ純水を用いる。ろ過した後のろ紙はそのままにし，沈殿の上に洗浄液を均等に注ぐ。洗液はろ液の濃度や量により廃棄したり，最初の沈殿をろ別した際のろ液に加えたりする。沈殿の洗浄は，一度に多量の洗浄液で洗わないで，少量ずつ回数多く洗う方が効果的である。

3.6 ろ紙上の沈殿の採取

プラスチック製ピンセットとガラス棒を用いて，沈殿のついたろ紙をロートより取り出し，容器内に広げる（最初の円形の状態）。沈殿が多量にあるときはガラス棒またはガラス棒の先端にゴムを取り付けたもの（ポリスマン）などで容器内にかき落とす。次に，沈殿を処理する液を少量ずつ沈殿のついた部分に注ぐことにより，沈殿を流し落とす。沈殿が少量の場合には，容器に処理液を入れ，沈殿のついたろ紙を液で湿らせ，ろ紙をピンセットでつまんで上下するなどして沈殿を洗い落とす。また，処理液が沈殿の溶解液である場合には，ろ紙ごと加熱し溶解させた後，ろ紙を取り出してもよい。

3.7　沈殿の溶解

　沈殿を溶かす性質のある酸，塩基，または有機溶媒を直接ろ紙上の沈殿に注ぐ。液量を少なく保つためにろ液を再びろ紙上から注ぐ。沈殿が溶けにくいときには，沈殿をろ紙からビーカーに移し，溶液を加えかき混ぜて溶解する。必要ならば加熱する。混合物沈殿のうち，一部だけを溶解させたいときには，適正な溶媒量，濃度，温度を守る必要がある。過剰な酸，塩基の使用は，目的とする沈殿以外の沈殿をも溶解することになり，好ましくない。

3.8　蒸発濃縮

　溶液を濃縮する際には蒸発濃縮を行う。蒸発濃縮には主としてビーカーや蒸発皿を用い，セラミック付金網または水浴（water bath）上で熱する。水浴を用いて熱すると，試料溶液の温度が 100℃ を超えないという利点がある。液の全部を追い出して固体だけにしたときは蒸発乾固といい，この操作を直火で行うときは，必ず蒸発皿を用いなければならない。

3.9　コロイド性沈殿の取扱い

　試薬を加えて沈殿を生成させるとき，濁りとなって溶液中に浮遊し，放置しても容易に沈降しない場合がある。このような沈殿をコロイド性沈殿（colloidal precipitate）という。コロイド性沈殿は表面積が大きいため，他成分を吸着しやすく，不純物を多く含む。化学分析では，このような性質は不都合であるから，できるだけコロイド性でない沈殿を作ることが大切である。コロイド性でない沈殿を作るためには次に示すような方法をとることが多い。

　（1）　溶液はできるだけ希薄にし，かつ熱溶液を用いる。

　（2）　かき混ぜながら沈殿剤を少しずつ加える。

また，コロイド性沈殿を生じてしまったときには，次のように処理するとよい。

　（1）　凝析†を促すために適当な電解質（electrolyte）を加える。

　（2）　沈殿生成後しばらくしてからろ過する。

　（3）　沈殿の洗浄は適当な電解質を含む熱溶液で行う。

---

　†　溶液中に分散している微粒子が集合して大きな粒子を作る現象，または大きな粒子となって沈殿する現象をいう。

4　バーナーの使用法

　現在用いられているものは，ブンゼンバーナーの改良型のテクルバーナーである。その構造は図Ⅱ－3に示したように簡単な構造である。

　バーナーの点火は以下の手順を守り，危険のないように行うこと。

　　① 最初にガス調節ねじ(B)および空気調節ねじ(A)が締まっていることを確認する。

　　② ガスの元栓を開ける。

　　③ チャッカマンの火をつけ，その炎をバーナーの口に近づける。

　　④ ガス調節ねじを回し，少量のガスを供給して点火する。

　　⑤ 空気調節ねじを開けて空気を入れ，火力の調整を行う。適当量の空気を入れることにより，酸化炎，還元炎を作る。

　図Ⅱ－4には炎の温度を示したが，炎色反応などでは，酸化炎の温度の高い無色の部分に白金線の先端を入れ，試験するのがよい。容器の中の液体を加熱する場合，火力は強ければよいというものではなく，炎が容器中の液体部と同じ幅になるように調節する。実験途中で席を離れるときや，実験終了後は，必ずA，Bのねじおよびガスの元栓を締めるように習慣付ける。

　ガスには臭気がついているのでその臭気を感じたら，自分のバーナーや周りのバーナーを点検して，ガス漏れがないかどうか確認することも忘れてはならない。

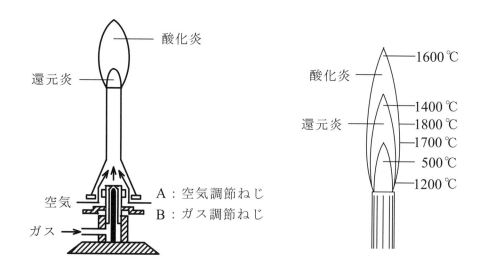

図Ⅱ－3　テクルバーナー　　　　　図Ⅱ－4　炎の構造と温度

5 測容器具および使用法

　容量分析などの実験には，溶液の体積を測るために精度の高い測定器具（測容器具）が必要であり，その主なものがホールピペット，ビュレット，メスフラスコで，市販品は一定の誤差内におさえた検定品である。これらの器具は清浄でなければ誤差を生じるので，器具の洗浄はていねいに行う必要がある。特に，器具の内壁に脂肪分などが付着していると，水はじきなどにより液面の位置読みが不正確になったり，ガラス壁面に水滴が付着残留して，誤差の原因となる。

　測容器具の洗浄には，ブラシやクレンザーなどは絶対に使用してはいけない。実験用洗剤あるいは，硫硝酸混液（濃硫酸：濃硝酸の 1：1 混合液）に浸すか，これらを満たして一昼夜放置するかして，よく水洗し純水で洗う。乾燥する場合も，加熱乾燥は容量が変化する恐れがあるので好ましくなく，乾燥器などの使用をさけ自然に乾燥（風乾という）させる。急いで乾燥したいときには，アルコール，アセトンの順で洗浄した後，乾燥空気を送り込んで乾燥させる。

5.1 ホールピペット

　ホールピペットは，一定体積の液体を分取するときに用いる測容器具である。ホールピペットの上部の細いガラス管の部分に刻んである線（**標線**）まで液体を吸い上げ，これを別の容器に移したときの体積がホールピペットに表示された体積に正確に一致する。

[**ホールピペットの使用法**]

<安全ピペッターの取り付け>

（1）　よく洗浄したホールピペットに安全ピペッターを取り付ける（p.32(1) 参照）。
　　　このとき，ホールピペットを短く持ちゆっくり差し込まないと，ピペットが折れけがをする恐れがある。

<共洗い>

（2）　ホールピペットで，分取する試料溶液の少量を吸い上げる（p.32(2) 参照）。
　　　このとき，必ず先端が溶液の中にあることを確認する。

（3）　安全ピペッターを取りはずして，そのホールピペットを横にしてまわし，内壁をよく洗った後，溶液を捨てる（これを**共洗い**という）。

<試料の採取>

（4）　再び安全ピペッターを取り付けた後，ホールピペットの先端を十分深く溶液につけ，標線の 2〜3 cm 上まで吸い上げる。

（５） ホールピペットを垂直に持ち，安全ピペッターの排出弁を使って液面を標線に合わせる（p.32(3) 参照）。液面は一般に図Ⅱ－6のような曲面になっているから，（この液面を**メニスカス**という）この最も低いところを標線に合わせる。

（６） ろ紙片などでホールピペットの外側をふきとり，受器(コニカルビーカー)の内壁に軽くホールピペットの先端をふれた状態で溶液を流出させる（p.32(4) 参照）。

（７） 先端部分に残った液を排出させる（p.32(5) 参照）。

以下のような別の処理方法もある。流出の終ったホールピペットから安全ピペッターを取りはずした後，その上端を指でふさいで他方の手でホールピペットの球部をにぎり，内部の空気の膨張によって押し出すようにする（図Ⅱ－5）。

これらの方法によって，そのホールピペットの表示どおりの体積が正確に分取されたことになる。

図Ⅱ－5　ホールピペットの持ち方

5.2　ビュレット

ビュレットは容量分析で重要な測容器具である。一般的には，全容量が 25 mL または 50 mL 用であって 0.1 mL まで目盛が刻んである。ビュレットの下端には，コック（活栓）がついており，これを回して液の滴下速度を調節するが，コックの回転をなめらかにするため，ごくわずかのワセリンを塗っておく（テフロン製のコックの場合は不要）。

ビュレットの目盛を読みとるときには，必ず目の高さで水平に読む（メニスカスの最も低いところで読むのは，ホールピペットと同様であるが，過マンガン酸カリウム溶液のように着色している溶液では上辺を読みとった方がよい）。

［ ビュレットの使用法 ］

（１） よく洗浄したビュレットに，少量の滴定溶液を入れ，ホールピペットのときと同様に共洗いして，液は捨てる。

（2）　コックを閉じ，滴定溶液をビュレットに入れる（このとき，ロートを用いてもよいが，溶液を入れたらすぐロートを取りはずす）。

（3）　コックを開け，液を少量流出させ，コックと先端部の間に気泡のないようにする。

（4）　滴定開始時にビュレットの目盛を読みとり，この数値を a とする。もし，液面が目盛の中間にあるときは，目盛と液面が正確に一致するように，液を流出させる。

（5）　左手でビュレットのコックをゆるめ，右手で試料溶液の入ったコニカルビーカーを持ち，振り混ぜながら液をほぼ一定の速度で滴下する（図Ⅱ－6）。

　　　終点近くなったら，少量ずつ滴下する（もし，半滴以下を加えたいときは，ビュレットの先端で1滴にならないうちにコックを閉じ，ガラス棒またはコニカルビーカーの内壁につけて加える）。

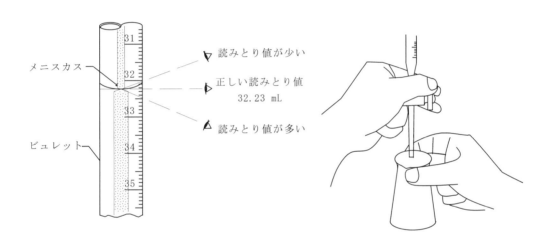

　　　　　　　　　　読みとり値が少い

　　　　　　　　　　正しい読みとり値
　　　　　　　　　　　　32.23 mL

　　　　　　　　　　読みとり値が多い

メニスカス

ビュレット

［正しい読みとり方］　　　　　　　　　　［ビュレットの持ち方と滴定操作］

図Ⅱ－6　ビュレットの取扱い

（6）　終点に達したとき，目盛を読みとり，その数値を b とする。もし，液面が目盛の中間にあるときは，1／10 目盛まで目測で読みとる（図Ⅱ－6）。

　　　この滴定実験に要した滴定溶液の体積は（b－a）mL で示される。

5.3　メスフラスコ

首の長いフラスコですり合わせ栓がついている。フラスコに表示されている数字は，首の部分の標線まで液体を満たしたときの体積を示す。

［　メスフラスコの使用法　］

（1）　純水でよく洗浄したメスフラスコに，精秤した固体試料または正確な体積の液体試料を入れる。

（２） 純水をメスフラスコの半分くらいまで入れ，試料を溶かす。試料が溶けたら，さらに純水を注意しながら入れ，標線に合わせ，液体を混合し均一にする。

5.4 安全ピペッター

有毒物質や揮発性物質を含む溶液をピペットで採取する場合には，図Ⅱ－7のような安全ピペッターを用いる。合成ゴム製の球に3つの弁（A,E,S）がついていて，各弁を押さえると球に空気が出入りするようになっている。

安全ピペッターの使用法は次のとおりである。

（１） まず，弁 A を押さえゴム球を握って凹ませた後，取付口にピペットを差し込む。

（２） ピペットの先を溶液に十分つけ，親指と人差し指で吸上弁 S を押すと，ピペット内に溶液が入る。溶液が標線の上 2〜3 cm くらいまで吸い上がったら指の操作を止める。

（３） 排出弁 E を軽く押さえてピペットの先端から余分な溶液を滴下させ，溶液面を標線に合わせる。

（４） 弁 E を強く押さえて，ピペット内の溶液を所定の容器に流出させる。

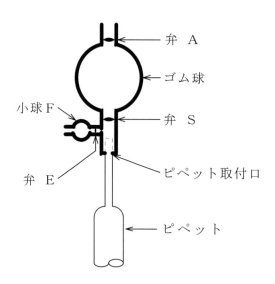

図Ⅱ－7　安全ピペッター

（５） 最後に，弁 E を押さえたまま，別の手で小球 F 部先端の口をふさぎ同時に小球を押して，ピペット先端部に残っている溶液を排出させる（先端部の溶液を排出するにはピペットのふくらんだ部分を手で握って温めてもよい）。

6 天秤の使用法

物質の質量を測定するための機器として天秤がある。試料の質量や形状に応じて，多種多様な天秤があり，その使用法はそれぞれの機種により異なるが，取扱い上の注意点は共通な事項が多いので，以下にあげておく。

（a） 天秤は，振動に対して極めて敏感であるので，不用意に振動や衝撃を与えてはならない。

（b） 使用前には，天秤の皿の上を鳥の羽根か筆で清潔にした後，ゼロ点を合わせる。

（c） 分銅を用いる場合は，必ずピンセットを使用し，決して直接指でつかんではいけない。

（d） 使用前には，必ず，取扱説明書をよく読み，天秤が正常に作動しないときは，教員に連絡し指示を受ける。

上皿電子天秤と直示天秤は精度が極めて高く（測定限度 1 mg 〜 0.1 mg），定量分析などの実験において現在広く用いられている機器である。秤量操作は簡単であり，測定所要時間も短いので，非常に便利である。

市販されている天秤の形式はさまざまであり，レバーやノブの形や位置，取扱いは機種により異なるので，それぞれの機器に付属している説明書をよく読んでから使用しなければならない。

[上皿電子天秤の使用法]

ここでは，実験室で実際に扱う上皿電子天秤（図Ⅱ－8）について，使用法を記しておく。

(1) ゼロ点の調整

　　On キーを押して，0.000 g と表示されるまで待つ。風防の蓋を開け，内外の状態を同じにした後，風防の蓋を閉め，→0/T← キーを押し，表示をゼロにする。

(2)－a　試料の質量を測定する場合

　　秤量物を皿の中央にのせ，風防の蓋を閉め，計測中マーク（表示部に○印）が消えたら，値を読む。

(2)－b　一定量の試薬をはかりとる場合

　①　皿に容器（または薬包紙・秤量皿）をのせ，風防の蓋を閉め，→0/T← キーを押し，表示をゼロにする。これで，風袋（容器の空質量）を差し引くことができる。

　②　秤量する試料を容器に入れ，風防の蓋を閉め，計測中マークが消えたら値を読む。一定量に満たない場合は，②の操作を繰り返す。

(3) 測定後

　　使用後は Off キーを表示部に「OFF」と表示されるまで長押しし，表示を消しておく。

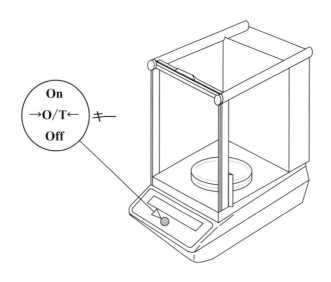

図Ⅱ－8　上皿電子天秤

7 基本操作実験

Ⅰ．概　説

　これから化学・生物実験を行う君たちにとって必要な，基本操作の一部を体験してもらうため，以下の実験を用意した。積極的に実験してもらいたい。

- ①　器具の名称の確認
- ②　ガラス器具の洗浄および乾燥方法
- ③　天秤の使用方法
- ④　ガスバーナーの使用方法
- ⑤　廃棄物の処理

Ⅱ．実　験

［目　的］

　天秤の使い方に慣れる。

　試料溶液を実際に作ってみる（**調製**という）。

　炎色反応実験を通して，バーナーの使い方に慣れる。

　廃棄物の処理について学ぶ。

［原　理］

　金属イオンや金属酸化物は，バーナーの炎で強熱すると，その金属特有の色を発して炎が着色する。これを炎色反応と呼び，この着色によって微量金属の検出を行うことができる。炎色反応は，強熱することによって原子状態になった金属の外殻電子が励起され，その励起状態から，基底状態へ遷移する際に光を発する現象である。したがって，各元素がそれぞれ異なった電子配置をもち，異なったエネルギーの電子軌道を有するために，発せられる光の波長はその元素固有のものである。それゆえ，炎色反応は金属の同定に関して有力な手段となる。

［ 器　具 ］

　　ビーカー(50 mL) 3，ガラス棒，駒込ピペット(2 mL)，試験管(小) 7，

　　試験管立て，ピペット台，洗びん，バーナー，保護メガネ，チャッカマン

　　共通器具：乾燥器，電子天秤，薬包紙，ラベル

　　貸し出し器具：白金棒，ストップウォッチ

［ 試料および試薬 ］

　　塩化リチウム（LiCl），塩化ナトリウム（NaCl），塩化カリウム（KCl），

　　塩化カルシウム（$CaCl_2$），塩化ストロンチウム（$SrCl_2$），塩化バリウム（$BaCl_2$），

　　濃塩酸（conc. HCl）

［ 実験方法 ］

　　　　◎２〜６班を１チームとして実験を行うので，６種類の塩化物のうちから各班

　　　　１〜３種類ずつ選び，試料溶液を調製し，小分けする。

（１）　上皿電子天秤（使用法は p.34 参照）を用い，乾燥したビーカー(50 mL)の質量を測
　　　定する。

　　　　◎当然，ビーカーは洗浄後，乾燥用カゴに入れ乾燥器で乾燥しておくことを忘れ
　　　　ずに。乾燥器から取り出すときは軍手などを用い，やけどに注意。

　　　　◎ビーカーをのせる前に，天秤の表示がゼロであることを確認しましたか。

（２）　天秤にビーカーをのせたまま，薬さじを用い，塩化物試料を約 1.00 g はかりとる。

　　　　◎試料をビーカーにとる前に， →O/T← キーを押し，表示をゼロにしましたか。

　　　　ビーカーの質量がないものとして，試料のみの質量が表示されましたね。

┌──────────────────────────────┐
│　天秤の皿やその周りに試薬がこぼれたときは，　│
│　備え付けのハケできれいにしておく。　　　　　│
└──────────────────────────────┘

（３）　ビーカーに純水約 20 mL を入れ，ガラス棒でかき混ぜ，塩化物試料を溶解する。

　　　　◎今回はビーカーの目盛りで 20 mL のところまで水を入れればよいよ。

　　　　天秤からビーカーをおろして純水を入れるのは常識ですよ。

┌──────────────────────────────┐
│　水道水ではダメ。備え付けのポリの洗びんに入った純水　│
│　（イオン交換水）を用いること。　　　　　　　　　　　│
└──────────────────────────────┘

（４）　試験管６本に調製した試薬の化学式を記したラベルを貼る。

　　　　各試験管に，駒込ピペットを用いて，調製した試料溶液を 1 mL ずつ小分けする。

　　　　　◎駒込ピペットはキャップをはずし，純水ですすいでありますか。

（５）　６種類の異なる試料溶液が入った試験管を用意する。

　　　　　◎自分が調製しなかった試料については，他の班が調製したものをもらう。

（６）　残りの試験管に濃塩酸 1 mL をとる。

　　　　　◎危険な試薬はドラフトの中にあるよ。手に付けないように注意。

　　　　　　保護メガネの着用を忘れずに。

（７）　白金線の先端に濃塩酸をつけて，バーナーの酸化炎で熱する。

　　　　この操作を炎が着色しなくなるまで繰り返す。（これが白金線の洗浄だよ）。

　　　　　◎バーナーの使用法（p.28）を参照しながら操作を行おう。

　　　　　　バーナーの火は実験台の引き出しにあるチャッカマンでつける。

（８）　きれいになった白金線に試料溶液をつけ，
　　　　バーナーの酸化炎で熱する。

　　　　　◎色，発光時間など観察が大事だよ。ス
　　　　　ケッチするなど各自で工夫し記録しよ
　　　　　う。

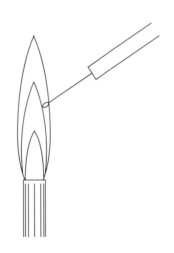

（９）　（７）の操作を行い，白金線をきれいにした
　　　　後，別の試料の炎色反応を行う。

（10）　すべての実験が終わったら，白金線を洗浄
　　　　した後，使用済み試料溶液は廃液タンクに捨てる。

　　　　　◎どの廃液タンクに捨てるかは，下記の［ 廃棄物処理 ］を
　　　　　よく読んで確認しよう。

（11）　試験管およびビーカーを洗浄する。

　　　　　◎試験管のラベルをはがすことを忘れずに。はがしたラベルは緑色ポリバケツに捨
　　　　　てればよい。

　　　　　　試験管立ては乾燥器に入れてはダメ。

［ 廃棄物処理 ］

　　　廃液（ビーカー，試験管内）　　→　無機廃液タンク（教壇脇）

　　　薬品のついたゴミ（ラベルなど）　→　緑色ポリバケツ（教壇脇）

［ 結果のまとめ ］

1．調製した溶液のおおよそのモル濃度（mol/L）を求めよ。（p.17 や p.138 の(2)を参照）

2．金属イオンの種類，バーナーに入れた瞬間の状態，炎色の状態，炎色の持続時間を表にまとめよ。

［ 予習してくる項目 ］

1．［目的］を熟読し，簡潔にまとめる。

2．［原理］等を熟読し，炎色反応についてまとめる。

3．［実験方法］を熟読し，自分が操作しやすいように文章でまとめる。

4．結果をまとめる2つの表のタイトルを作成する。

　　　　　表1の項目－試料名，結晶の状態，試料の質量，溶けやすさ，溶液の状態，

　　　　　　　　　　　式量，モル濃度

　　　　　表2の項目－［ 結果のまとめ ］の2．の項目

レポートシートへの予習の注意事項：・予習は手書きで，実験テキストの丸写しはダメ
〈レポートシートの記載例〉

| 基本操作実験 | 実験開始 | ： | 天気 | ，気温 | ℃，湿度 | ％，気圧 | hPa |
| | 実験終了 | ： | 天気 | ，気温 | ℃，湿度 | ％，気圧 | hPa |

＜目的＞

天秤の使い方に慣れるため，試料溶液を実際につくる。

炎色反応実験を通して，バーナーの使い方に慣れるとともに，廃棄物の処理について学ぶ。

- -

＜原理＞

　金属イオンや金属酸化物は，バーナーの炎で強熱すると，その金属特有の色を発して炎が着色する。これを炎色反応と呼び，・・・（続きは各自でまとめる。図表を用いても良い）

- -
- -
- -
- -
- -
- -
- -

＜実験方法＞

　電子天びんを用い，乾燥したビーカー(50mL)に塩化物試料を約 1.00 ｇをはかりとる。そのビーカーに純水約 20mL を入れ溶解させる。・・・（続きは各自でまとめる。）

- -
- -
- -

［ レポートに挑戦 ］

実験の最後のステップはレポートです。以下の手順に従って書いてみよう。

（１）　該当テーマのレポートシートと鉛筆を用意する。

（２）　p.15 をよく読み，必要な項目や注意点を確認する。

（３）　最初に＜目的＞を確認する。今日の実験は何のために行ったのか，各自が自分自身
　　　　の目的をもう一度確認する。

（４）　次に＜原理＞を確認する。ここでは「炎色反応」についてまとめてあればよい。実
　　　　験テキストでは簡単に触れてあるので，より詳細に知りたければ，あとで図書館など
　　　　で参考文献を調べてみよう。

（５）　＜実験方法＞を確認する。p.16 を参考にして，今日行った実験が要領よくまとめら
　　　　れているか確認する。［実験方法］の羅列にならないように，かつ，必要な情報が抜
　　　　けないように注意しよう。

（６）　＜結果＞を確認する。［結果のまとめ］を組み入れながら，p.17 を参考にして読み
　　　　手が見やすいようにまとめられているか確認する。数値情報のみが結果ではないので，
　　　　状態（色・形・臭いなど）も書きもらさないように注意が必要。

（７）　いよいよ＜考察＞に挑戦。p.17 を参考にしながら，自分の考えをまとめよう。この
　　　　とき最も大切なことは，参考文献などのことばに頼りすぎずに自分のことばで書き，
　　　　オリジナリティーを追求することである。

（８）　＜あとがき＞は今日の実験についての感想などがあれば自由に書いてみよう。

（９）　＜参考文献＞には ＜原理＞ や ＜考察＞ を書く際に自分が参考にした本などを書く。
　　　　情報は，p.17 の形式でまとめるとよい。

（10）　表紙の項目をすべて書き込み，これを本文の上に付け，ホッチキスで上部２カ所を
　　　　とじれば完成！

　　　基本操作実験のレポートは，実験終了後，実験室で作成し始めよう。

　　　できたら，点検を受けよう。

次ページに重要な項目があるよ。

［レポート提出直前チェック］

提出する前に，以下の点を再度点検し，確認したら □ に レ を記入しよう。

◆全体

□ レポートは試験の答案と同じである。人に読まれること，評価されることを念頭に置き，ていねいに記されているか。

□ 他人と同じレポートは，原本・写本を問わず両方とも評価されない。オリジナリティーに富んだものになっているか。

◆表紙および書式

□ 記入漏れはないか（特に担当教員を忘れがち）。

□ 表紙にバーコードは貼ってあるか。

□ 順番は間違いないか。

□ レポートは上部2カ所を止めているか。

—— **表紙不備のレポートは受理されない** ——

□ p.15 の項目（**目的，原理，実験方法，結果，考察**）はすべてあるか。

□ 誤字や脱字がないかどうか読み返したか。

—— **考察のないレポートはレポートにあらず** ——

Ⅲ　実　　　験

1　ケミカルライトの合成

2　中和滴定による食酢中の酢酸の定量

3　金　属　材　料　分　析

4　アルコール発酵能の測定

5　天然物からのカフェインの抽出および同定

6　食　用　色　素　の　分　離・同　定

7　DNAの抽出と電気泳動による確認

1 ケミカルライトの合成

Ⅰ. 概 説

　我々のまわりにはさまざまな色があるが，その色の現れ方にはいくつかの異なった機構がある。

　色素分子に光が当たり吸収された残りの色光が反射または透過して，人間の目に色として認識されるもの（吸光），蛍光灯のように，光を当てその光を一度吸収した後，それよりも波長の長い光を放出するもの，また，ホタルの光に代表されるような，化学反応で発生するエネルギーが光に変わるもの（発光）などである。

　物質の励起状態（物質の中の電子が高エネルギーの状態）から基底状態（普通のエネルギー状態）にもどるときに，余分なエネルギーを光として放出する発光の場合，励起状態を作り出すエネルギー源には熱エネルギー，光エネルギー，電気エネルギーそして化学エネルギーの４種がある。熱エネルギーでの発光としては炎色反応や花火，光エネルギーでは夜光塗料や蛍光ペンなどの蛍光物質，電気エネルギーではネオンサインや発光ダイオードなど身近に見受けられる。

　４番目の化学エネルギーを用いて発光するものには，ホタルの他にもウミホタルや発光魚など多くの発光生物がいる。このような生物体の発光と類似の機構を有する化学発光がシュウ酸エステルを用いたものである。シュウ酸エステルを用いる方法は，鋭敏な化学分析にも応用されている。

Ⅱ. 実 験

［目　的］

　化学反応には，適当な蛍光物質を添加しておくと，赤や青などの美しい光を出す系があり，化学発光と呼ばれている。シュウ酸エステルを用いる化学発光には，シュウ酸エステル，蛍光色素(多環炭化水素)および過酸化水素の３つの化合物が必要である。

　ここでは，化学発光に必要な３つの化合物の働き，化学反応の反応速度（この場合は発光強度）におよぼす触媒および温度の影響や，蛍光色素の違いによる発光色の差異について調べ，化学発光について学ぶ。

［原　理］

シュウ酸エステルによる化学発光

　シュウ酸エステルを用いての発光は，化学反応により生じるエネルギーを使った発光の１つである。

　シュウ酸エステル(A)と過酸化水素(B)とが反応すると，まずはじめに，高エネルギー中間体であるペルオキシシュウ酸無水物(C)ができる。

A　　　　　　　　　　B

C

　このペルオキシシュウ酸無水物が分解するときに，そのエネルギーをナフタセン(D)のような蛍光色素に与えると，ナフタセンが励起状態(D*)となる。

$+ 2CO_2$

D　　　　　　　　　　D*

　励起状態のナフタセンは基底状態にもどるときに，$h\nu^{\dagger}$ に相当するエネルギーを持つ光を放出する。

$+ h\nu$

　この発光は，化学反応を利用しているので，反応温度や触媒の影響を受けることになる。

---

　†　$h\nu$：h はプランク定数，ν(ニュー)は振動数である。

　　　$h\nu$ で電磁波（この場合は光）を意味する。

[器　具]

三角フラスコ(50 mL) 8，試験管(大) 2，試験管立て，水浴用ビーカー（300 mL），

ガラス棒，三脚，金網，バーナー，チャッカマン，保護メガネ，洗びん

共通器具：電子天秤，薬包紙，暗箱，カラーテープ

貸し出し器具：ストップウォッチ，ライト

[試料および試薬]

シュウ酸ビス（2,4,6-トリクロロフェニル）　Bis（2,4,6-trichlorophenyl）Oxalate，

ルブレン，ナフタセン，ペリレン，フタル酸ジメチル，30%-過酸化水素（H_2O_2），

t-ブチルアルコール，サリチル酸ナトリウム

[実験方法]

《 実験1　シュウ酸エステルによる化学発光 》

> 乾燥した器具を使用するので，実験の最初に，洗浄した三角フラスコを乾燥器に入れておく。

・まず8種類の溶液を調製する。各三角フラスコにカラーテープを貼り区別するとよい。

ナフタセンによる反応の準備

（1）　次の A_1，B および C 液を調製する。

　　　　A_1液：乾燥した三角フラスコにナフタセン　0.016 g とシュウ酸ビス（2,4,6-トリクロロフェニル）0.090 g をとり[1]，フタル酸ジメチル 16 mL を加えて[2]，こぼさないように注意しながらよく振り混ぜる[3]。

　　　　B 液：別の三角フラスコに 30%-H_2O_2 1 mL をとり[4]，フタル酸ジメチル 16 mL および t-ブチルアルコール（2-メチル-2-プロパノール）4 mL を加える[5]。

　　　　C 液：別の三角フラスコに B 液と同様に，30%-H_2O_2 1 mL，フタル酸ジメチル 16 mL および t-ブチルアルコール（2-メチル-2-プロパノール）4 mL をとる。さらに，サリチル酸ナトリウムをミクロスパーテル 1 杯加えて溶解する。

　　　　1）薬包紙を用いて，±0.002 g 以内ではかりとる。

　　　　　　電子天秤の使用方法は p.34 「上皿電子天秤の使用法」を参照。

　　　　　　備え付けのミクロスパーテルを用いて，取りすぎないように注意しながら各試薬をはかりとる。こぼした場合は，備え付けのハケで掃き，電子天秤は常にきれいな状態に保つよう気を付ける。

　　　　　　なお，取りすぎた場合は，試薬びんに戻すのではなく，所定の容器に回収する。

2）フタル酸ジメチル用のディスペンサーを用いてはかりとる。

3）橙色粒状で三角フラスコ中に残ったナフタセンはそのままでよい。

4）30%-H_2O_2 は皮膚をおかす性質があるので，**取扱いに注意**する。

5）*t*-ブチルアルコールは湯浴中にある。

（2）　A_1 と同じ内容物の A_2 液を調製する。

> A_2 液：乾燥した三角フラスコにナフタセン 0.016 g とシュウ酸ビス（2,4,6-トリクロロフェニル）0.090 g をとり，フタル酸ジメチル 16 mL を加えて，こぼさないように注意しながらよく振り混ぜる。

ルブレンによる反応の準備

（3）　D 液として，乾燥した三角フラスコにルブレン 0.016 g とシュウ酸ビス（2,4,6-トリクロロフェニル） 0.090 g をとり，フタル酸ジメチル 16 mL を加えて，よく振り混ぜる。

（4）　E 液として，三角フラスコに 30%-H_2O_2 1 mL をとり，フタル酸ジメチル 16 mL および *t*-ブチルアルコール 4 mL を加える。

ペリレンによる反応の準備

（5）　F 液として，乾燥した三角フラスコにペリレン 0.016 g とシュウ酸ビス（2,4,6-トリクロロフェニル）0.090 g をとり，フタル酸ジメチル 16 mL を加えて，よく振り混ぜる。

（6）　G 液として，三角フラスコに 30%-H_2O_2 1 mL をとり，フタル酸ジメチル 16 mL および *t*-ブチルアルコール 4 mL を加える。

－－－　以降の操作（7）～（11）は実験室内を暗くして行う　－－－

＊　次の（7）と（8）は同時に行う。

ナフタセンによる反応

（7）　A_1 液に B 液を加え，よく振り混ぜて，発光を観察する。

（8）　A_2 液に C 液を加え，よく振り混ぜて，発光を観察する。（7）での発光と比較し，発光におよぼすサリチル酸ナトリウムの影響をみる。

（9）　（7）の実験で発光中の溶液をナフタセンの粒子が均一になるように注意しながら2本の試験管に分ける。そのうちの1本を熱湯に入れ[6]，もう1本は室温で放置する。2本の試験管を比較し，発光におよぼす温度の影響をみる。

6）あらかじめ水浴用ビーカー（300 mL）に水道水 約250 mL を入れ，バーナーで熱して熱湯を作っておく。

＊ 発光の観察は, (7), (8), (9)の三角フラスコや試験管を 10 分 ほど放置し,発光の様子の変化（発光の強さと退色の時間との関係）を観察し，記録する。

ルブレンによる反応

(10)　D 液に E 液を加え，発光を観察する。

　　　混合液に，サリチル酸ナトリウムをミクロスパーテルで少量加え，観察する。

ペリレンによる反応

(11)　F 液に G 液を加え，発光を観察する。

　　　混合液に，サリチル酸ナトリウムをミクロスパーテルで少量加え，観察する。

(12)　使用済みの溶液は，所定の回収タンクに捨てる。

《 実験2　発展実験 》

　　実験2は，予習および各自が実験1で得た結果により生まれた新たな疑問を解決するための実験である。班で話し合いをし，各班のオリジナル実験を組み立て，実験してみよう。

　　三角フラスコなど新しく器具を提供しないので，各自工夫して実験する。実験ができないような疑問を持った場合，実験1の結果をよく検討し，結果でなく予測でもよい。

（1）　各自が疑問点をみつけ，レポートシートに列挙する。

（2）　班員それぞれが疑問点を持ち寄りディスカッションをし，班の疑問点をまとめる。これを，実験2の＜目的＞としてレポートシートに書く。

（3）　疑問点を解決するための実験を組み立てる。これを，実験2の＜実験方法＞としてレポートシートに書く。

（4）　実験を行い，結果をレポートシートにまとめる。実験1同様，表などを活用するとよい。

（5）　使用済みの溶液は，所定の回収タンクに捨てる。

［ 廃棄物処理 ］

　　　廃液（三角フラスコ，試験管内）　→　有機廃液タンク（教壇脇）

　　　薬品のついたゴミ（薬包紙など）　→　緑色ポリバケツ（教壇脇）

［ 結果のまとめ ］

1．各手順の詳細な観察を記す。

2．**実験1**の結果をわかりやすく表にまとめる（化学発光におよぼす温度および触媒の影響，発光後の退色の様子など）。

3．**実験2**の結果を，自分の班の疑問点が明確になるようにまとめる。

［ 予習してくる項目 ］

1．概説および［目的］を熟読し，＜目的＞を簡潔にまとめる。

2．［原理］を熟読し，＜原理＞の空欄を埋めて文章を完成させる。

3．［実験方法］を熟読し，自分が操作しやすいよう＜実験方法＞に文章でまとめる。

［ 考察のポイント ］

（必須ポイント）

◎「A_1 液＋B 液」，「D 液＋E 液」，「F 液＋G 液」の観察結果の違いから何がいえるか。

◎「A_1 液＋B 液」と「A_2 液＋C 液」の発光の様子の違いから何がいえるか。

◎「A_1 液＋B 液」を熱湯に入れたものと室温のものの観察から何がいえるか。

（発展）

・実験で試験管や三角フラスコが乾燥していなければならない理由は何か。

・3種の多環炭化水素による発光色の違いについて，原理を利用し説明せよ。

・シュウ酸エステルの化学発光に必要なシュウ酸エステル，蛍光色素，過酸化水素の3種の化合物の量をそれぞれ増やしたらどうなるか？

・化学発光の強度と反応時間（発光している時間）との関係について考えよ。

・可視光の波長と色の関係について調べる。

・身の回りにはどのような発光現象，吸光現象が見られるか。

・触媒とは何か。また，その働きにはどのようなものがあるか。

［ レポート提出直前チェック ］

提出する前に，以下の点を再度点検しよう。

◆全体

- ・レポートは試験の答案と同じである。人に読まれること，評価されることを念頭に置き，ていねいに記されているか。
- ・他人と同じレポートは，原本・写本を問わず両方とも評価されない。オリジナリティーに富んだものになっているか。

◆表紙および書式

- ・記入漏れはないか（特に担当教員を忘れがち）。
- ・表紙にバーコードは貼ってあるか。
- ・レポートは上部2カ所を止めているか。

—— 表紙不備のレポートは受理されない ——

- ・p.15 の項目（目的，原理，実験方法，結果，考察）はすべてあるか。

—— 考察のないレポートはレポートにあらず ——

◆こんなレポートは提出しても評価されない

- ・観察結果がない。
- ・観察結果からどのような結果になったのかがよくわからない。
- ・「考察」で「きれいだった。」とか，「実験がうまくできた。」というような感想としかとれない内容のレポート。
- ・［考察のポイント］のなかの必須ポイントを検討していない。

Ⅲ. 参考1 「参考書」

"化学 One Point 15 色素の化学"，西 久夫，共立出版

"ポピュラーサイエンス 身の回りの光と色"，加藤 俊二，裳華房

"ポピュラーサイエンス 色はどうして出るの"，西本 吉助・綿谷 千穂，裳華房

"化学教育"，Vol.28，No.1，pp.59-63（1980），日本化学会

参考2 「蛍光色素の構造」

ナフタセン（naphthacene）

　＝テトラセン

　$C_{18}H_{12}$

ルブレン（rubrene）

　5, 6, 11, 12-tetraphenylnaphthacene

　$C_{42}H_{28}$

ペリレン（perylene）

　dibenzo［de, kl］anthracene

　$C_{20}H_{12}$

2　中和滴定による食酢中の酢酸の定量

Ⅰ. 概　説

　物質（混合物）の中に含まれる成分の量を明らかにする方法を定量分析という。ここで取りあげる容量分析は定量分析の一種であり，溶液の体積を測定することにより成分の物質量を求める分析法である。この方法は非常に簡単かつ正確であるため，食品などの身近な物質を対象として，その成分量を求める際によく用いられる。

　容量分析に用いられる化学反応の条件としては，試料溶液に含まれる目的成分と標準溶液中の物質とが，定量的・不可逆的にしかも速やかに反応することが必要である。主な操作法が溶液の滴下量を測定することから滴定法と呼ばれ，用いられる化学反応の種類により，中和滴定，酸化還元滴定，キレート滴定および沈殿滴定に分類される。

　容量分析は，次の3つの要素から成り立っている。

① 　目的とする成分を含む試料溶液の一定量に，**標準溶液**（濃度既知の溶液）を滴下し反応させる。

② 　反応が終了するまでに滴下した標準溶液の体積およびその濃度から，求める成分の量を決定する。

③ 　反応の終了（終点）は，**指示薬**などによって確認する。

標準溶液

　滴定を行うにあたっては，濃度が正確にわかっている標準溶液が必要である。標準溶液の調製には標準物質を用いる。標準物質とは，高純度・化学的に安定・入手容易などの条件を満たす物質が望ましい。このような物質が純粋に得られる場合には，この物質の一定量を正確に秤量し適当量の水に正確に溶解させ，標準溶液とする（一次標準溶液）。しかし，HCl や NaOH などのように純粋に得がたい物質を含む溶液を標準溶液とする場合には，概略の濃度の溶液を調製し，一次標準溶液を用いて正確な濃度を決定する方法をとる。このように，他の標準溶液で滴定することで濃度を正確に決定することを**標定**という。

　一般的には標準溶液の濃度は，表示濃度とファクター（濃度係数, f ）とを用いて表す。

$$標準溶液の濃度 ＝ 表示濃度×ファクター \qquad (2-1)$$

たとえば，0.1 M–HCl（f=1.002）と書かれた塩酸標準溶液の濃度は次のようになる。

$$0.1 × 1.002 ＝ 0.1002\,M$$

指示薬

　反応の終点（中和点）を正確に知るために指示薬を用いる。中和滴定を行う場合は，溶液中の水素イオンの濃度変化を酸塩基指示薬で認知し，終点を知る。

Ⅱ. 実 験

[目 的]

　一般家庭用の食酢には，清酒，酒かす，果実などを発酵させて作った醸造酢と酢酸に調味料を加えた合成酢とがある。食酢の主成分は酢酸であり，約4％含まれている。その他有機酸も微量含まれているが，ここでは食酢中に含まれる酸をすべて酢酸とみなして，中和滴定により定量する。まずはじめに，酢酸の定量に用いる水酸化ナトリウム溶液を各自で調製し，標定済みの塩酸標準溶液で標定を行い，次に，この水酸化ナトリウム標準溶液を用いて，実際に一般家庭で使用している穀物酢または米酢に含まれている酸を定量し，酸度を求める。

[原 理]

　中和滴定は，酸から生じた H^+ と塩基から生じた OH^- とが（2−2）式のように反応して H_2O を生じる中和反応を利用した定量方法である。

$$H^+ \ + \ OH^- \quad \rightarrow \quad H_2O \qquad\qquad (2-2)$$

　H^+ と OH^- の物質量が等しい点（**中和点**）を求めることにより，酸または塩基のいずれか片方の量がわかっていれば，もう一方の量を決定することができる。

　たとえば n_a 価の酸* c_a (mol/L) の水溶液 v_a (mL) を n_b 価の塩基* c_b (mol/L) の水溶液で滴定したとする（*については p.59 参照）。このときの反応の終点すなわち中和点までに要した塩基水溶液の滴下量を v_b (mL) とすると，中和点における酸と塩基の量的関係は（2−3）式で示すことができる。

$$\underbrace{n_a \times c_a \times \frac{v_a}{1000}}_{H^+\text{の物質量}} = \underbrace{n_b \times c_b \times \frac{v_b}{1000}}_{OH^-\text{の物質量}} \qquad\qquad (2-3)$$

中和滴定により，強酸を強塩基で滴定したときの溶液のpH（＝－log [H⁺]）変化を示したものが図2－1のA→Cである（滴定曲線）。この場合，かなり広いpH範囲で滴定曲線が垂直になっているので，中和点を知るために用いる酸塩基指示薬は，メチルオレンジ（MO）を選んでもフェノールフタレイン（PP）を選んでも，中和点決定の誤差はほとんどないことがわかる(p.60 **参考2 表2－1** 参照)。

　しかし，酢酸のような弱酸を強塩基で滴定する場合，滴定曲線は図2－1のB→Cとなるので，この曲線の垂直部分に変色域をもつフェノールフタレインは中和点の決定に正しい結果を与えるが，メチルオレンジは不適当となる。

　このように，弱酸を強塩基で，あるいは弱塩基を強酸で滴定するような場合には，酸塩基指示薬を適正に選ばなければ正しい中和点は得られない。

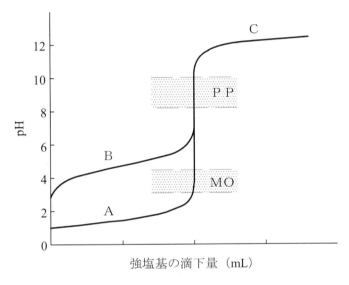

図2－1　滴定曲線

［ 器　具 ］

　ビュレット（50 mL），ホールピペット（10 mL），コニカルビーカー（100 mL）4,

　メスフラスコ（100 mL），ビーカー（100 mL）2，ポリ試薬びん（250 mL)，ガラス棒,

　ロート(小)，ビュレット台，ビュレットバサミ，洗びん，ピペット台，廃液ビーカー

　共通器具：乾燥器，電子天秤，薬包紙，純水用パスツールピペット，カラーテープ

　貸し出し器具：安全ピペッター

［ 試料および試薬 ］

　0.1 M 塩酸標準溶液（0.1 M-HCl），水酸化ナトリウム（NaOH），

　食酢(穀物酢および米酢)，フェノールフタレイン

［ 実験方法 ］

《 実験1　0.1 M水酸化ナトリウム溶液の調製と標定 》

（1）　ビーカー，ロート(小)は十分洗浄した後，乾燥器に入れ，乾燥させる[1]。

　　　　　　　1）すべての操作の前にこの操作を行う（p.19 「1.2 ガラス器具の洗浄」参照）。
　　　　　　　メスフラスコなどの測容器具はブラシやクレンザーを用いずに洗浄し，**乾燥器**
　　　　　　　には絶対入れない（p.29 「5 測容器具および使用法」参照）。

（2）　乾燥したビーカーを冷ました後，質量を電子天秤で測定する。測定後，「RE-ZERO
　　　キー」を押して，表示をゼロにする[2]。次に，NaOH 約 1.1 g[3] を薬さじを用いてビ
　　　ーカーにとり，その質量を測定する（小数点以下3位まで）。

　　　　　　　2）電子天秤の使用方法は p.34 「上皿電子天秤の使用法」を参照。
　　　　　　　3）NaOH は潮解性があるので操作は素早く行う。また，理論上では 1.0 g でよい
　　　　　　　が，炭酸ナトリウム（Na_2CO_3）などを含み純度は 96 ％ 程度なので，少し多
　　　　　　　めにはかりとる(約 10 粒)。こぼした場合は速やかに取り除く。
　　　　　　　NaOH は皮膚をおかす性質があるので，絶対に手で触れてはいけない。

（3）　（2）のビーカーに約 60 mL の水[4] を加え，ガラス棒でかき混ぜながら NaOH を溶
　　　解する。これをポリ試薬びんに移し，水を加えて全容を約 250 mL とする。しっかり
　　　と栓をした後，**濃度が均一になるように十分振り混ぜる**[5]。

　　　　　　　4）化学実験室で使う水は，特別な指示がない限り備え付けの洗びんに入った純水
　　　　　　　（イオン交換水）を用いる。水道水は不可。
　　　　　　　5）単純な操作だが，十分に振り混ぜないと溶液の濃度が不均一となり，測定誤差の
　　　　　　　原因になる。しっかりと栓をし，もれないように注意する。

（4）　0.1 M-HCl 標準溶液を乾燥したビーカーに約 70 mL 入れる。0.1 M-HCl 標準溶液
　　　10.00 mL をホールピペット[6] を用いてコニカルビーカー[7] に分取し，フェノールフ
　　　タレイン 1〜2 滴を加える[8]。

　　　　　　　6）ホールピペットは少量の 0.1 M-HCl 標準溶液で**共洗い**をする。なお，共洗いの
　　　　　　　方法および安全ピペッターの使用方法は p.29，p.32 参照。
　　　　　　　7）各班に4つずつあるので，同様に他の3つも準備すると操作がスムーズにすす
　　　　　　　む。
　　　　　　　8）指示薬の添加量は試料溶液によって違いがないようにする。たとえば，1つの
　　　　　　　試料溶液にフェノールフタレインを1滴加えたら，他の試料溶液にも1滴加え
　　　　　　　る。

（5） （3）で調製した 0.1 M-NaOH をビュレットに入れ[9]，（4）の溶液の色が**無色→うす赤紫色**に変色するまで滴定する[10]。

9）0.1 M-NaOH を，ポリ試薬びんからビュレットへ移す場合，ロートを用いる。入れ終わったら必ずロートをはずす。

ビュレットは少量（約 10 mL ）の 0.1 M -NaOH を用いて**共洗い**をする（コックの下部の共洗いも忘れないように）。共洗い後，再度，ロートを用いてビュレットに 0.1 M -NaOH を入れ，液面を目盛り（小数点以下が .00 ）にあわせる。なお，このときコックの下部まで液が満たされていることを確認する(p.30 「ビュレットの使用法」参照)。

10）滴定結果はレポートシートに作成してきた表に記録する。ビュレットの目盛りを読む場合は最小目盛りの 1/10 まで読む。すなわち，**ここでは小数点以下第2位(たとえば, 7.90 や 15.24)まで読む。**

（6） （4）および（5）の滴定操作は，滴定量の最大値と最小値の差が 0.1 mL 以内の３点が得られるまで繰り返し行う[11]。

11）滴定が終わるたびに，ビュレットの目盛りの小数点以下が .00 になるようにする。たとえば， 1回目の滴定終了時の目盛りが 7.25 だった場合は， 8.00 になるまでビュレット内の溶液を流出させ， 2回目の滴定が 8.00 から始まるようにする。

中和滴定におけるデータの選び方

中和滴定では，1回の滴定で得られた値をそのまま使用しないで，同じ測定を最低３回繰り返し，次のようにして決定した平均値を以後の濃度計算などに使用する。

・最低３回，同じ操作を繰り返し，滴定量を３点得る。

・３回の滴定量の最大値と最小値の差が 0.1 mL以内であれば，その３点の平均値を滴定量の平均値として用いる。

・３回の滴定量の最大値と最小値の差が 0.1 mL以上離れていれば，滴定量の最大値と最小値の差が 0.1 mL以内の３点が得られるまで， ４回， ５回と繰り返す。

《 実験2　食酢中（穀物酢または米酢）の酢酸の定量 》

（7）　食酢原液 10.00 mL をホールピペット [12] でメスフラスコ [13] に分取し，これに，水
　　を加えて正確に 100.0 mL とする [14]。よく振り混ぜて濃度を均一にし，これを食酢希
　　釈試料溶液とする。

　　　　　　　　12）ここで用いる**ホールピペットは食酢原液びんに備え付けてある専用のもの**を用いる。
　　　　　　　　　　したがって，共洗いの必要はない。

　　　　　　　　13）メスフラスコは共洗いしてはいけない。なぜ？

　　　　　　　　14）純水は液面が泡立たないようにメスフラスコの壁面をつたわせながら，標線下
　　　　　　　　　　約 1 cm まで静かに加える。液面を標線にあわせる場合は目線を標線と水平に
　　　　　　　　　　し，パスツールピペットを用いて純水を標線まで加える。標線を越えると濃度
　　　　　　　　　　がズレてしまい，作り直しになるので慎重に操作する(メスフラスコの使用方法
　　　　　　　　　　は p.31 参照)。

（8）　（7）で調製した食酢希釈試料溶液 10.00 mL をホールピペット [15] でコニカルビーカ
　　ーに分取し [16]，フェノールフタレイン 1〜2 滴を加える。

　　　　　　　　15）ホールピペットは（4）の操作で 0.1 M-HCl 標準溶液の分取に用いているので，
　　　　　　　　　　十分水洗いした後，**食酢希釈試料溶液で共洗い**してから使用する。

　　　　　　　　16）コニカルビーカーは共洗いしてはいけない。水でぬれたままで良い。なぜ？
　　　　　　　　　　（4）の操作と同様に他の 3 つについても準備する。

（9）　《**実験1**》で標定した 0.1 M-NaOH [17] で，（8）の溶液の色が**無色→うす赤紫色**に変色
　　するまで滴定する [18]。

　　　　　　　　17）《**実験1**》の操作と計算により各自で作った 0.1 M-NaOH の正確な濃度がわかる。
　　　　　　　　　　以降の実験ではこの 0.1 M-NaOH が標準溶液となる。

　　　　　　　　18）滴定はビュレットの目盛りの最小目盛りの 1/10 まで読む。すなわち，ここでは
　　　　　　　　　　小数点以下第 2 位まで読むことを忘れずに。

（10）　（8）および（9）の滴定操作は，滴定量の最大値と最小値の差が 0.1 mL 以内の 3 点
　　が得られるまで繰り返し行う。

（11）　実験器具はブラシとクレンザーを使用して良いものとそうでないものに注意しな
　　がら，十分に洗浄し，次の実験者のために実験前と同じ状態にしておく。なお，水洗
　　いの際は必ず最後に純水(イオン交換水)ですすぐ。ビュレットやホールピペットも十
　　分洗浄し，ビュレットはコックを解放にして先端を上向きに，ホールピペットも先端
　　を上向きにしてビュレット台に戻しておく。

（12）　実験器具を片付けた後，［ 結果のまとめ ］に従い，用いた食酢の酸度を求める。

［ 廃棄物処理 ］

　　廃液（すべて）　　　　→　　無機廃液タンク（教壇脇）

　　薬品のついたゴミ　　　→　　緑色ポリバケツ（教壇脇）

［ 結果のまとめ ］

1．**実験1，実験2**の滴定結果をそれぞれ表にまとめる。

2．下記の順番に従ってレポートシートに計算し，食酢原液中の酢酸のモル濃度を求める。

　　（p.57　**参考1「滴定データの取扱い」**参照（ただし，標準溶液は何か，試料溶液は何か
　　をしっかり理解して計算をしないと間違えますよ）。

　　2－1．**実験1**の滴定データより各自で調製した 0.1 M 水酸化ナトリウム溶液の正確な
　　　　　モル濃度を計算する（p.57～58 の実験(例)～計算(例)を参照）。

　　2－2．**実験2**のデータおよび2－1の計算により求めた 0.1 M 水酸化ナトリウム溶液
　　　　　のモル濃度を使って食酢希釈試料溶液中の酢酸(CH_3COOH)のモル濃度を計算
　　　　　する（求め方は p.58 計算(例)を参考にするとよい）。

　　2－3．食酢原液中の酢酸のモル濃度を計算する（実験方法（7）の意味を考えよ）。

3．2－3で決定したモル濃度を用いて，市販の食酢の酸度(＝質量パーセント濃度
　　(p.138 参照))をレポートシートに計算する。

　　ただし，穀物酢の密度は 1.016 g/cm³，米酢の密度は 1.042 g/cm³ とする。

$$酸度（\%）＝\frac{食酢1L中に含まれる酢酸の質量}{食酢1Lの質量}×100$$

　　（食酢 1 L の質量は密度を用いて求めよ）

　　（食酢 1 L 中に含まれる酢酸の質量は2－3と酢酸の分子量を用いて求めよ）

［ 予習してくる項目 ］

1．概説および［目的］を熟読し，＜目的＞を簡潔にまとめる。

2．［原理］を熟読し，＜原理＞の空欄を埋めて文章を完成させる。

3．［実験方法］を熟読し，自分が操作しやすいよう＜実験方法＞に文章でまとめる。

4．**参考1「滴定データの取扱い」**(2)中和滴定におけるデータの処理 (p.57)にある表のタイト
　　ルを参考に，《実験 1》，《実験 2》用の表である，＜結果＞の表 1,2 それぞれにタイト
　　ルをつける。

5．**測容器具および使用法**（p.29～32)を読んでイメージトレーニングする。

6．家庭にある食酢に表示してあるラベルの内容(メーカー，原材料，製品名，酸度など)
　　を調べてレポートシートの記入欄に書き写す。

7．p.12～13 の有効数字の取扱いを勉強してくる。

8．酢酸(CH_3COOH)の分子量を，原子量（p.143 周期表)を用いてレポートシートの記入
　　欄に求めてくる。

［ 考察のポイント ］

（必須ポイント）

◎実験で求めた食酢原液の酸度と市販の食酢のびんのラベルに表示してある値を比較することで自分の実験結果を評価せよ。

◎この実験で使用する器具で共洗いをするものと，してはいけないものはどれか。また，その理由を説明せよ。

（発展）

・容積を測定するガラス器具の洗浄および乾燥時に注意することは何か。

・はかりとった NaOH の質量からおおよその NaOH 水溶液の濃度を計算し，標定して得た濃度と比較してみよ。

・今回の実験の指示薬にフェノールフタレインが使われる理由は何か（他の指示薬が使用されない理由，またはフェノールフタレイン以外に使用できる指示薬は何か）。

［ レポート提出直前チェック ］

提出する前に，以下の点を再度点検し，確認したら □ に レ を記入しよう。

◆全体

　　□ レポートは試験の答案と同じである。人に読まれること，評価されることを念頭に置き，ていねいに記されているか。

　　□ 他人と同じレポートは，原本・写本を問わず両方とも評価されない。オリジナリティーに富んだものになっているか。

◆表紙および書式

　　□ 記入漏れはないか（特に担当教員を忘れがち）。

　　□ 表紙にバーコードは貼ってあるか。

　　□ レポートは上部 2 カ所を止めているか。

　　　　—— **表紙不備のレポートは受理されない** ——

　　□ p.15 の項目（目的，原理，実験方法，結果，考察）はすべてあるか。

　　　　—— **考察のないレポートはレポートにあらず** ——

◆**次の項目は特に重要。これがないとレポート提出しても評価されない。**

　　□ 滴定データをきちんと書いているか。

　　□ ［結果のまとめ］において，酸度まできちんと計算しているか。

　　□ ［考察のポイント］の中の必須ポイントを検討しているか。

Ⅲ．参考

参考1 「滴定データの取扱い」

（1） 有効数字（計算方法は p.12 有効数字の取扱い 参照）

実験より得られた数値は，ある限られた精度しか持たない。したがって，実験結果を用いて計算を行ったりデータをまとめたりする場合，その数値の持つ精密さを考慮に入れて取り扱う必要がある。

たとえば，最小目盛が 0.1 mL のビュレットで液量を読むとき，最小目盛の 1/10 まで目測して，10.23 mL のようになったとすると，この4つの数字1，0，2，3のすべてが有効数字であり，有効数字4桁であるという。最後の数字3は，目測であるので不確実ではあるが，他の数字より3である確率が高いという，意味のある数字として省くことはできない。

零もまた有効数字である。たとえば，ビュレットの読みが 10 mL の線と一致しているとき 10.00 mL としなければならない。ただし，位取りを示すためだけに用いられる場合は有効数字ではない（0.004 では 4 だけが有効数字，$4×10^{-3}$ と書けばよくわかる）。

（2） 中和滴定におけるデータの処理

塩酸を標準溶液とし，中和滴定により水酸化ナトリウム試料溶液の濃度を決定する実験例をもとに，データの処理方法を示す。

[実験（例）]

標準溶液である 0.1 M-HCl（f ＝1.009 ） 10.00 mL を，NaOH 試料溶液で滴定した。

[滴定結果（例）]

表 0.1 M-HCl （ f ＝1.009 ） 10.00 mL に対する NaOH 試料溶液の滴定量

	ビュレットの読み		NaOH の滴定量（mL）
	滴定の始点	滴定の終点	
第1回	0.00	10.10	10.10　○
第2回	11.00	21.06	10.06　○
第3回	22.00	32.25	10.25
第4回	33.00	43.03	10.03　○
平　均			10.06

滴定量のデータから，最大値と最小値の差が 0.1 mL 以内のものを3点（○で表示）選び，平均値を求める。

[計算（例）]

中和点における酸と塩基の量的関係を示す（2－3）式に代入する条件は以下の通りである。

$$
\begin{cases}
n\,(\text{HCl}) &= 1 \\
c\,(\text{HCl}) &= 0.1 \times 1.009 \quad (\text{M}) = 0.1 \times 1.009 \,(\text{mol/L}) \\
v\,(\text{HCl}) &= 10.00 \quad (\text{mL}) \\
n\,(\text{NaOH}) &= 1 \\
c\,(\text{NaOH}) &= \boxed{} \,(\text{mol/L}) \quad \cdots\cdots \quad \text{求める濃度} \\
v\,(\text{NaOH}) &= 10.06 \quad (\text{mL}) \quad \cdots\cdots \quad \text{滴定量の平均値}
\end{cases}
$$

$$
\underbrace{1 \times 0.1 \times 1.009 \times \frac{10.00}{1000}}_{} = \underbrace{1 \times c\,(\text{NaOH}) \times \frac{10.06}{1000}}_{}
$$

酸溶液 ｜ 塩基溶液

1 L 中の H^+ の物質量　　　　1 L 中の OH^- の物質量

10.00 mL 中の H^+ の物質量　　　10.06 mL 中の OH^- の物質量

したがって NaOH の濃度は

$$
c(\text{NaOH}) \;=\; 0.1003 \,(\text{mol/L})
$$

と求められる。

NaOH 試料溶液 10.06 mL 中に含まれる NaOH の質量は次のようにして求められる。

NaOH の式量が 40.00 であるので，モル質量は 40.00 g/mol である。したがって，

$$
\underbrace{0.1003 \times 40.00}_{} \times \frac{10.06}{1000} = 0.04036 \,(\text{g})
$$

溶液 1 L 中の NaOH の質量

となる。

この場合，0.04036 は小数点以下5桁であるが**有効数字は4桁**である。

参考2 「容量分析のポイント」

（1） 中和滴定における溶液の pH

　中和滴定の進行中における水素イオン濃度$[H^+]$の変化を求めてみる。この$[H^+]$を用いて pH を求め，滴下量に対してプロットしたのが図 2－1 の滴定曲線である。

　たとえば n_a 価の酸[†] c_a (mol/L) の水溶液 v_a (mL) を n_b 価の塩基[†] c_b (mol/L) の水溶液で滴定したとする。強酸－強塩基の反応として$[H^+]$を求める。ここでは強塩基の滴下量を v_x (mL) とする。

　中和点までは $[H^+] > [OH^-]$なので，$[H^+]$は

$$[H^+] = \frac{n_a\,c_a\,v_a - n_b\,c_b\,v_x}{v_a + v_x} \qquad (2-4)$$

となる。

　また，中和点では $[H^+] = [OH^-]$ であり，$[H^+][OH^-] = K_w\,(=1\times10^{-14})$ であるので，$[H^+]$は

$$[H^+] = \sqrt{K_w} \quad (=1\times10^{-7}) \qquad (2-5)$$

　中和点を越して滴下を続けると $[OH^-] > [H^+]$ となり，$[OH^-]$は

$$[OH^-] = \frac{n_b\,c_b\,v_x - n_a\,c_a\,v_a}{v_a + v_x}$$

で示されるので，$[H^+]$は

$$[H^+] = \frac{K_w\,(v_a + v_x)}{n_b\,c_b\,v_x + n_a\,c_a\,v_a} \qquad (2-6)$$

で求められる。

---

　† 　酸 1 分子から生じる水素イオンの数をその酸の価数といい，塩基 1 分子から生じる水酸化物イオンの数をその塩基の価数という。たとえば，HCl や CH$_3$COOH は 1 価の酸であり，H$_2$SO$_4$ は 2 価の酸である。また，NaOH は 1 価の塩基であり，Ca(OH)$_2$ は 2 価の塩基である。

（2） 酸塩基指示薬

主な酸塩基指示薬を表2－1に示した。

表2－1　酸塩基指示薬

指示薬	（略号）	酸性側	変色域(pH)	塩基性側
チモールブルー	TB	赤	1.2〜 2.8	黄
メチルオレンジ	**MO**	赤	3.1〜 4.4	黄
ブロモフェノールブルー	BPB	黄	3.0〜 4.6	青
メチルレッド	MR	赤	4.2〜 6.3	黄
ブロモフェノールレッド	BPR	黄	5.2〜 6.8	赤
ブロモクレゾールパープル	BCP	黄	5.2〜 6.8	紫
ブロモチモールブルー	BTB	黄	6.0〜 7.6	青
フェノールレッド	PR	黄	6.8〜 8.4	赤
クレゾールレッド	CR	黄	7.2〜 8.8	赤
チモールブルー	TB	黄	8.0〜 9.6	青
フェノールフタレイン	**PP**	無	8.3〜10.0	赤紫
チモールフタレイン	TP	無	9.3〜10.5	青

（3）　水について

　空気と接触している水は空気中の二酸化炭素で飽和されているから，たとえ蒸留水であっても空気と接触しているかぎり希薄な炭酸水溶液になっている。空気中の二酸化炭素の含有量は 0.03 ％ で，これと平衡状態にある蒸留水中の二酸化炭素の濃度は，室温で約 $1.22×10^{-5}$ mol/L であり，その pH は約 5.7 である。0.1 M くらいの強酸を滴定する場合は二酸化炭素の影響は無視できるが，たとえ強酸でも希薄な溶液や弱酸の溶液を滴定する場合には水に溶けこんだ二酸化炭素（炭酸）も同時に滴定され誤差の原因となる。したがってこのような場合には，十分に沸騰させて二酸化炭素を追い出した蒸留水を用いなければならない。

3 金属材料分析

Ⅰ. 概 説

　現代社会において重要な材料として，形状記憶合金などの金属材料があり，さまざまな金属元素の特性を組み合わせた多種多様な合金が作られている。しかし，これらの材料を構成する元素は，百数種類にすぎない。金属材料がどのような元素より構成されているのかを知るために分析を行う。

　固体としての金属をそのまま分析することは困難である。それゆえ，種々の金属元素が比較的簡単な塩として溶存している水溶液について分析し，そこで得た知識と技術とを金属材料の分析の基礎とする。それぞれの金属元素は，陽イオンばかりでなく錯陰イオンとしても水溶液中に存在しているが，ここでは陽イオンのみを分析することにする。

　金属陽イオンを系統的に定性分析するには，化学的性質の類似した数種のイオンをまとめて沈殿させ，他のイオンと分離することから始まる。この操作を**分族**という。次に，各族に含まれるイオンをそれぞれのイオンに特有な反応を利用して個々のイオンに**分離**し，**最終確認**反応を行う。すなわち，陽イオンの定性分析は，**分族，分離，確認**という 3 段階からなっている。各族に分けるために用いられる沈殿剤を**分族試薬**という。

　分族法としてよく用いられているのは，分族試薬として硫化水素を用いる方法であるが，この方法の欠点である有毒ガスや有毒な試薬の使用をさけるために，ここでは，以下に示す硫化ナトリウム法を用いて金属陽イオンの定性分析を行う。

　今回行う方法は，大筋では硫化水素法に準ずるが，金属材料の分析を主としているので，アルカリ金属や水銀などの金属は除外してある。また，有害ガス排出の回避，操作の簡便化と確実性，少量検出への適応などを進めるための改良が加えてある。

Ⅱ. 実 験

［目　的］

　金属材料に含まれる金属元素の種類を知るために，定性分析を行う。ここでは 9 種の金属元素を対象とする。金属を溶解した溶液を用い，存在する金属陽イオンを検出していくことで金属材料に含まれる金属元素を分析していく。

　1，2 回目は 9 種の金属陽イオンを含む溶液を用い，それらの混合溶液からそれぞれの金属陽イオンに分離，確認していく方法を習得していく（p.74 **金属材料分析の流れに 1 回目および 2 回目に用いる金属陽イオンが詳細に記してある**）。

　3 回目には，1，2 回目の知見を応用し，実際に金属材料そのものを分析し，金属材料がどんな金属元素から構成されているのかを知る。

［原　理］

　金属陽イオン定性分析における各族の分族試薬と各族に含まれるイオンを表 3−1 に示した。ここでは 9 種類の金属陽イオンを取り扱う。なお，（　）で示したイオンは今回の分析では取り扱わない金属陽イオンである。

表 3−1　各族の分族試薬と金属陽イオン

族	分　族　試　薬	含まれる金属陽イオン	
Ⅰ族	HCl酸性 ＋Na$_2$S	Cu^{2+} $(Ag^+,\ Bi^{3+},\ Sn^{4+},\ Hg^{2+},\ Sb^{3+},\ As^{3+})$	
Ⅱ族	NH$_4$OH塩基性 ＋Na$_2$S	ⅡA族	$Co^{2+},\ Ni^{2+}\,(Pb^{2+},\ Cd^{2+})$
		ⅡB族	$Fe^{3+},\ Mn^{2+},\ Cr^{3+},\ Al^{3+},\ Zn^{2+}$
Ⅲ族		Mg^{2+}　　　$(Ba^{2+},\ Sr^{2+},\ Ca^{2+})$	

図 3−1 には，今回用いる金属陽イオンの分族の系統図を示した。

　試料溶液に塩酸を加え酸性溶液とした（これを塩酸酸性溶液という）後，硫化ナトリウムを加えると，Ⅰ族陽イオンである銅イオン Cu^{2+} が硫化物として沈殿する。Ⅱ族以下の陽イオンは母液中に残るので，沈殿をろ過すればⅠ族陽イオンだけを取り出すことができる。このときの溶液の酸性濃度は約 1.5 M である。

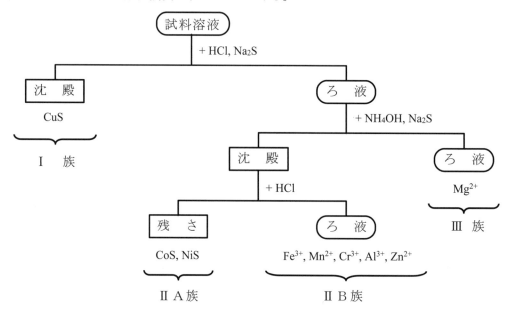

図3−1　　金属陽イオンの分族の系統図

- 62 -

Ⅱ族以下の陽イオンを含んだろ液をアンモニア水などにより pH を調整し，硫化ナトリウムを加えて塩基性とすることにより，Ⅱ族陽イオンであるコバルトイオン Co^{2+}，ニッケルイオン Ni^{2+}，鉄（Ⅲ）イオン Fe^{3+}，マンガンイオン Mn^{2+}，クロムイオン Cr^{3+}，アルミニウムイオン Al^{3+}，亜鉛イオン Zn^{2+} は硫化物または水酸化物として沈殿する。これらⅡ族の硫化物および水酸化物沈殿を希塩酸で処理することにより，それらの沈殿が塩酸に不溶性のⅡA 族（Co, Ni）と塩酸に可溶性のⅡB 族（Fe, Mn, Cr, Al, Zn）とに分けることができる。

硫化物および水酸化物沈殿をろ過した後のろ液中にはⅢ族陽イオンであるマグネシウムイオン Mg^{2+} が存在する。

図 3－2 に，硫化物が沈殿生成するおよその酸濃度領域を示した。この図からわかるように，Ⅰ族陽イオンである Cu^{2+} は，Ⅰ族の分族のときの酸濃度である 1.5 M で硫化物として沈殿するが，それ以外の金属イオンは，この酸性状態では硫化物の沈殿生成を起こさないことがわかる。一方，塩基性状態では，ほとんどの金属陽イオンが硫化物として沈殿するので，Ⅱ族陽イオンの分族が可能となる。

また，硫化物の塩酸に対する溶解性の差異を利用して分離を行っているのがⅡA，ⅡB 族の分族である。CoS などは酸濃度が 10^{-3} M 以下でないと硫化物を沈殿しないにもかかわらず，いったん硫化物を生成すると，1.5 M の塩酸酸性溶液にも溶解しなくなる。

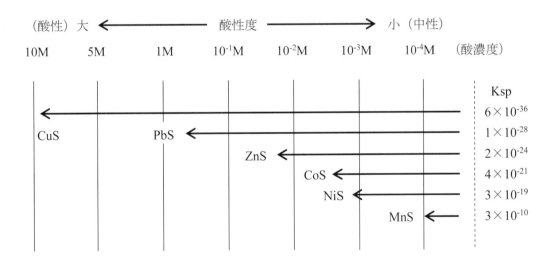

図 3－2　　硫化物沈殿生成の酸濃度領域

分族および分離に関係する難溶性塩の溶解平衡については p.88 を参考とし，分離および最終確認に関係する金属イオンの各個反応については p.77～82 に，記述してある。

[器具および試薬]

金属陽イオン系統分析で使用する器具および常備試薬（各実験台に備え付けの試薬）を図3－3に示した。器具の図と名称は図Ⅱ－1（p. 20～22）に記されているので，参照するとよい。また，常備試薬以外の試薬については，各操作表の記述を見ること。

実験棚	上　段	廃液用ビーカー	1
		廃ろ紙入れ	1
		純水用ポリ洗びん（500 mL）	1
		水浴用ポリビーカー	1
	中　段	常備試薬用滴びん 6 M-NH$_4$OH，3 M-HCl，3 M-HNO$_3$	各1

ボックス	ビーカー（50 mL）	6
	メートルグラス（10 mL）	2
	ロート	2
	試験管	10
	試験管立て	1
	蒸発皿	2
	ルツボ挟み	1
	プラスチック製ピンセット	1
	ピペット台	1
	駒込ピペット（2 mL）	2
	ガラス棒	2

実験台上	バーナー	1
	三脚	1
	セラミック付金網	1
	ロート台	1

引き出し	保護メガネ	2
	チャッカマン	1
	ろ紙	1
	万能pH試験紙	1

流しまわり	ブラシ（大，中，小）	各1
	クレンザー	1
	ぞうきん	1

図3－3　各実験台に備え付けの器具および試薬

〈反応式および化学式について〉

本書では，分離確認操作表やイオン反応表における反応式および化学式については，以下の記述に基づいて示した。

① 水溶液中の金属陽イオンは，水和してアコ錯イオン（たとえば$[Cu(H_2O)_4]^{2+}$）として存在するが，簡単のために水和部分を省いて記す（Cu^{2+}）。

② 水酸化物とアルカリとの反応で生成する陰イオンは，水分子を除いた酸化物として記述する。

$$例：Al(OH)_3 + OH^- \rightarrow Al(OH)_4^- \quad とはせず，$$

$$Al(OH)_4^- \rightarrow AlO_2^- + 2H_2O \quad と記す。$$

③ 金属イオンとアンモニアとの反応で得られるアンミン錯イオンについては，最大の配位数の錯イオンを記す。

$$例：Zn^{2+}の場合，[Zn(NH_3)_4]^{2+} と [Zn(NH_3)_6]^{2+} の両方のイオンがあるが$$

$$[Zn(NH_3)_6]^{2+} と表す。$$

〈分離確認操作表について〉

分離確認操作表においては略号が統一されている。すなわち，Pは沈殿（precipitate），Fはろ液（filtrate），Rは残さ※（residue），Sは溶液（solution）を表している。

沈殿が生成した溶液をろ紙を用いてろ過した場合，ろ紙上に残るものを**沈殿**，沈殿から分離されて受器としてのビーカーに落下した液を**ろ液**という。また，沈殿やろ紙についた母液を除くため，洗浄液をかけたとき，落下した液を**洗液**という。**残さ**とは，残分，残留物ともいい，ろ紙上の沈殿を溶解するために液体を注いだとき，一部溶解せずろ紙上に残っている物質をさす。また，ビーカー中の沈殿物に液体を注いだとき，溶解せず沈殿として残った物（不溶物）も残さとしている。

〈金属陽イオン分析系統図について〉

金属陽イオン分析の分離確認操作表の記述を系統図（フローチャート）で表したものが，図3－4である。レポートシートへの予習時やレポート作成時に参考にする。

溶液（S），ろ液（F）は液体であり，⬭で記している。沈殿（P），残さ（R）は固体であり，▭で記してある。

※残さ（residue）：ろ過などの後に残った不溶物

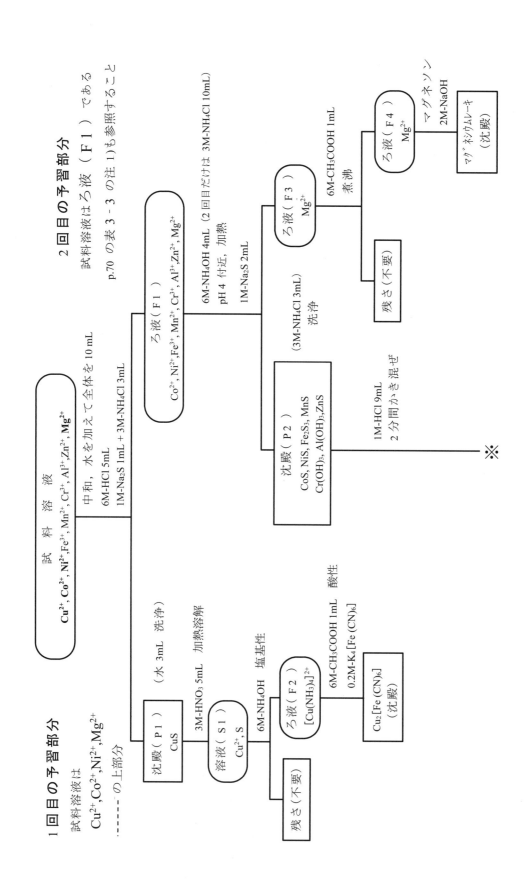

図3－4　　金属陽イオン分析系統図（フローチャート）

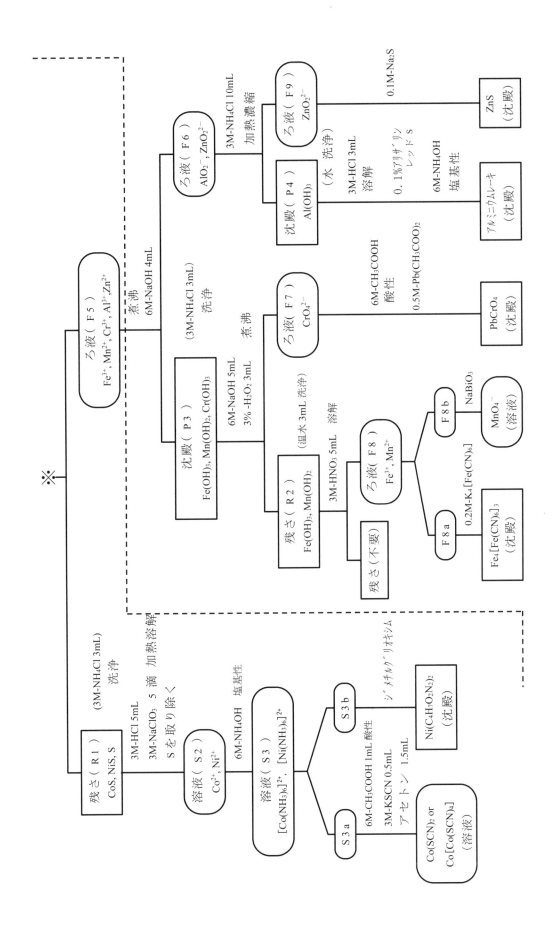

3.1 　金属陽イオンの分析

＜Ⅰ族陽イオンの分析＞

Ⅰ族陽イオンは Cu^{2+} だけである。下記の操作表に従って分析を行う。

表3－2　Ⅰ族陽イオンの分離確認操作表

試料溶液[1] 2 mL をビーカーにとり，6 M-NH$_4$OH[2] または 3 M-HCl[2] で中和し[3]，水を加えて全体を 10 mL にする[4]。

この溶液に 6 M-HCl[5]　5 mL を加えかき混ぜる。

さらに 1 M-Na$_2$S　1 mL と 3 M-NH$_4$Cl　3 mL との混合溶液をかき混ぜながら[6] 滴加していく。　加え終わったらろ過する[7]。

P1　CuS	F1　Ⅱ～Ⅲ族陽イオン
沈殿を水 3 mL で洗浄し[8]，洗液は捨てる。 沈殿を蒸発皿に移し[9]，3 M-HNO$_3$　5 mLを加えて，沈殿が溶解するまで加熱する。(このとき，少量の黒色のSが液　面上に残る)	Ⅱ族以下の分析試料とする（p.70，表3－3の試料溶液である）。

（S 1　Cu^{2+}）

放冷後，蒸発皿に入れたまま塩基性になるまで 6 M-NH$_4$OH を加え[10]，よくかき混ぜ，ろ過する。

残さ S	F2　Cu^{2+}
不要。	ろ液 1 mL[11] を試験管に入れ，6 M-CH$_3$COOH　1 mL を加えて酸性にし，0.2 M-K$_4$[Fe(CN)$_6$]を数滴[12]　加える。 赤褐色沈殿を生じれば Cu の 存在を示す。

[表3−2の注]

<分族操作>

1) 最終確認反応以外の反応にはビーカーを使用する。

   試薬台にある試料溶液をビーカーに 2 mL とり，分析を開始する。

2) 常備試薬であるので各自の実験台に備えてある。

3) 液性（酸性または塩基性，すなわち pH）を調べる場合，万能 pH 試験紙を用いる。

   方法としては，ガラス棒に試料溶液をつけ試験紙にスポットするとよい。沈殿がある場合，スポットした部分に沈殿がついて色が見にくいので，スポット点の周りに広がった部分で判断する。

   中和するとは，溶液が酸性の場合 6 M-NH₄OH を，塩基性の場合 3 M-HCl を加えて，中性溶液にすることである。

4) 液量を測るときは，メートルグラスまたは駒込ピペットを使用する。

   この場合，中和した試料溶液が入ったビーカーをそのまま使用してよい。ビーカーの目盛りの 10 mL の線まで純水を入れるとよい。

5) 試薬台に用意されている。濃度の異なる試薬を種々使用するので，滴びんおよび試薬びんの濃度にも注意して用いる。

6) 1 M-Na₂S 1 mL と 3 M-NH₄Cl 3 mL をよくかき混ぜて混合溶液としてから加える。

7) ろ過の操作は Ⅱ編の **3.2 ろ過**(p.25) を参照して行う。ビーカー内に沈殿を残さないように注意する。

<分離操作>

8) 沈殿の洗浄は，沈殿とともにろ紙も洗うように洗浄液をろ紙の上部から注ぐ。

   （Ⅱ編の **3.5 沈殿の洗浄**(p.26)参照）。

9) ろ紙上の沈殿の採取については Ⅱ編の **3.6 ろ紙上の沈殿の採取**(p.26) を参照して行う。使用済みのろ紙は「廃ろ紙入れ」に捨てる。

10) 溶液に対して，「酸性になるまで」または「塩基性になるまで」その試薬を加えると記されたところは，十分にかき混ぜてから，液性を調べる。pH 3〜4 または pH 10〜12 をめざす。

   このとき，液が深青色を呈すれば Cu の存在が推定される。

<最終確認操作>

11) 最終確認反応は試料（この場合はF2の液）の一部（1 mL 程度）を試験管にとり，最終確認試薬を滴加することにより行う。

12) 最終確認試薬（この場合は K₄[Fe(CN)₆]）を滴加後，全体が均一になるまで十分にかき混ぜる。また，数滴とは 2〜3 滴のことである。

＜Ⅱ族およびⅢ族陽イオンの分析＞

　Ⅱ族陽イオンは Co^{2+}, Ni^{2+}, Fe^{3+}, Mn^{2+}, Cr^{3+}, Al^{3+}, Zn^{2+} の７種であり，Ⅲ族陽イオンは Mg^{2+} である。以下の３つの操作表に従って分析を行う。ただし，この試料溶液はⅠ族陽イオンを分族した後のろ液と同じであるので，表３－２の操作は完了したものとして，表３－３，表３－４および表３－５の分離確認操作表に従って行うことになる。

表3−3　Ⅱ族陽イオンおよびⅢ族陽イオンの分離操作表

試料溶液（表３−２の**F1**）に $6 M\text{-}NH_4OH$　4 mL を加える[1]。

$6 M\text{-}NH_4OH$ または $3 M\text{-}HCl$ を用い，試験紙で調べながら，pH 4 付近にし，沸騰させる[2]。

加熱をやめ，熱いうちに $1 M\text{-}Na_2S$　2 mL をかき混ぜながら少量ずつ加え，ろ過する。

P2　CoS, NiS, Fe_2S_3, MnS, $Cr(OH)_3$, $Al(OH)_3$, ZnS 沈殿を $3 M\text{-}NH_4Cl$　3 mL で洗浄し，洗液は捨てる。沈殿をビーカーに移し，$1 M\text{-}HCl$　9 mL [3] を加え，２分間くらいかき混ぜ，ろ過する。		**F3**　Mg^{2+} $6 M\text{-}CH_3COOH$　1 mL を加えて，沸騰させ，ろ過する。
		残さ　不要　／　**F4**　Mg^{2+}　ろ液 1 mL を試験管に入れ，マグネソン試薬を数滴加える。液が黄色く着色している場合は，$2 M\text{-}NaOH$ を十分塩基性になるまで滴加する。混合物が青色になれば，Mg の存在を示す。
R1　CoS, NiS, S 残さを $3 M\text{-}NH_4Cl$　3 mL で洗浄し，洗液は捨てる。表３−４に従って分析する。	**F5**　Fe^{3+}, Mn^{2+}, Cr^{3+}, Al^{3+}, Zn^{2+} 表３−５に従って分析する。	

[表3−3の注]

1)　**Ⅱ族から分析する場合**（２回目の試料）は，試料溶液 2 mL に $6 M\text{-}NH_4OH$　4 mL のかわりに $3 M\text{-}NH_4Cl$ を 10 mL 加え，pH 4 付近にするところから分析を開始する。

2)　ビーカーのまま加熱してよい。

3)　$1 M\text{-}HCl$ は常備試薬の $3 M\text{-}HCl$ を用いて各自で調製する。

　　$3 M\text{-}HCl$　□ mL に純水　□ mL を加えて，$1 M\text{-}HCl$　9 mL を調製する。

表3-4　ⅡA族陽イオンの分離確認操作表

試料沈殿（表3-3のR1）を 蒸発皿に移し，3 M-HCl　5 mL を加える。

3 M-NaClO₃　5滴を加えて加熱溶解する（Sの析出があればろ過したり，またはガラス棒などで除く）。

（S2　　Co^{2+}, Ni^{2+} ）

放冷後，6 M-NH₄OH を加えて十分に塩基性にする。

（S3　　$[Co(NH_3)_6]^{2+}$, $[Ni(NH_3)_6]^{2+}$ ）

この溶液を試験管2本に各々 1 mLずつ分ける。

S3a	S3b
6 M-CH₃COOH　1 mLを加えて酸性にし，3 M-KSCN　0.5 mLとアセトン[1] 1.5 mL を加える。 溶液が青色を呈すれば Co の存在を示す。	ジメチルグリオキシム溶液[1]を数滴加える。 赤色沈殿を生じれば Ni の存在を示す。

[表3-4の注]

1)　アセトンおよびジメチルグリオキシムは有機試薬なので火気には十分注意し，実験が終わった後は，有機廃液として処理する。

[廃棄物処理]

下記以外の廃液　　　　　　　→　無機廃液タンク（教壇脇）

アセトン，ジメチルグリオキシム廃液　→　有機廃液タンク（教壇脇）

薬品のついたゴミ（ろ紙，万能 p H 試験紙など）→　緑色ポリバケツ（教壇脇）

試料溶液（表３−３のF5）を２分間くらい煮沸して，熱いうちにかき混ぜながら

6 M-NaOH　4 mL を加え，そのビーカーを水浴[1]に浸し，かき混ぜながら十分に冷やし

た後，ろ過する。

P3　$Fe(OH)_3, Mn(OH)_2, Cr(OH)_3$			F6　AlO_2^-, ZnO_2^{2-}	
沈殿を3 M-NH₄Cl　3 mLで洗浄し，洗液は捨てる。沈殿をビーカーに移し，6 M-NaOH　5 mLと 3 ％ H_2O_2　3 mLを加えて十分煮沸し[2]，ろ過する。			3 M-NH₄Cl　10 mLを加え，半分くらいになるまで加熱濃縮する[3]。白色沈殿が確認できたら，ろ過する。	

R2　$Fe(OH)_3, Mn(OH)_2$		F7　CrO_4^{2-}	P4　$Al(OH)_3$	F9　ZnO_2^{2-}
残さを温水[4]　3 mLで洗浄し，洗液は捨てる。沈殿をビーカーに移し，3 M-HNO₃ 5 mLを加えて煮沸し，ろ過する。（F 8　Fe^{3+}, Mn^{2+}）ろ液を 1 mLずつ２本の試験管に分ける。		ろ液　1 mLを試験管に入れ6M-CH₃COOHで酸性にして0.5 M-Pb(CH₃COO)₂を数滴加える。黄色沈殿を生じれば Cr の存在を示す。	沈殿を水洗し，洗液は捨てる。沈殿をビーカーに移し，3 M-HCl　3 mLを加え[6]，溶解する。この溶液 1 mLを試験管に入れて0.1％アリザリンレッドSを数滴加える。塩基性になるまで6M-NH₄OHを加える。赤色沈殿を生じれば Al の存在を示す。	ろ液　1 mLを試験管に入れ0.1 M-Na₂Sを数滴加える。白色沈殿を生じればZnの存在を示す。
F8a	F8b			
0.2M-K₄[Fe(CN)₆]を数滴加える。濃青色の溶液または沈殿を生じればFe の存在を示す。	NaBiO₃粉末を小さじ一杯加える[5]。溶液が赤紫色を呈すればMnの存在を示す。			

1) 実験棚に置いてある 100 mL の水浴用ポリビーカーに水道水を入れ，冷却しながらかき混ぜる。

2) 細かい泡がでなくなるまで十分に煮沸する。

3) NH₄Cl を加えて加熱濃縮すると，NaOH と反応して NH₃ が蒸発し，塩基性が弱まるにつれて Al³⁺ のみ水酸化物として沈殿してくる。Al(OH)₃ の沈殿は白色でもやもやしていて，たいへん見にくいので，一応沈殿があるものとして操作を進め，確認反応で判断するとよい。

4) 温水は，純水をお風呂の温度程度に加熱し，用いる。

5) MnO₄⁻ の赤紫色は褐色の NaBiO₃ が沈んだら上澄みにはっきり見られる。したがって NaBiO₃ を入れすぎるとかえって見にくい。呈色したら上ずみ液を別の試験管に移すとよい。

6) ろ紙上の沈殿がほとんど見られない場合，ろ紙の上から 3 M-HCl を注いで，Al(OH)₃ を溶解する。

[廃棄物処理]

　　　　　　　　　　　　　　　廃液　　　　→　無機廃液タンク（教壇脇）

　　薬品のついたゴミ（ろ紙，万能 pH 試験紙など）→　緑色ポリバケツ（教壇脇）

[金属材料分析の実験の流れ]

［目的］(p.61)にも記したように，金属材料分析実験は既知試料を対象にした練習実験と未知試料を対象にした応用実験とからなる。

第1，2回既知試料分析

第1回　対象金属陽イオン－Ⅰ族の Cu^{2+}，

ⅡA族の Co^{2+}，Ni^{2+}，

Ⅲ族の Mg^{2+}。

（分族の理解を主体とした実験）

第2回　対象金属陽イオン－ⅡB族の Fe^{3+}，Mn^{2+}，Cr^{3+}，Al^{3+}，Zn^{2+}

（族内の分離操作に主眼を置いた実験）

第3回－合金の分析（未知試料分析）

対象金属陽イオン－1，2回の全金属陽イオン

実際の合金を用いて未知試料の分析を行う。対象材料は表3－9(p.83)に記してある。金属材料の粉末試料を用いるので，分析開始時にはこれらを溶解する操作が必要となるので注意する。

[系統分析のレポートの書き方]

一般的なレポートの書き方はⅠ編の**5 レポート作成のヒント**(p.15) に記してあるが，ここでは陽イオン系統分析のレポートの書き方について特に注意することを記す。

系統分析でのレポートの項目は，＜目的＞，＜原理＞，＜実験方法および結果＞，＜考察＞，＜参考文献＞，＜あとがき＞とし，＜実験方法および結果＞をフローチャートにまとめて記す。

＜原理＞としては，陽イオン定性分析が，分族，分離，確認という3段階から成り立っていることを意識するとよい。

＊p.62～63 には**分族**の原理を記してある。**参考2**および**参考3**(p.88～90)も読んで，理解を深めることを勧める。

＊各族内の**分離**については，p.77～82 の**イオンの各個反応表**を利用して，同じ試薬に対する各イオンの反応の違いをつかむとよい。

＊**確認**については，主に p.79，81 の**その他の反応**にまとめてある。

＜考察＞は後述の［第1，2回既知試料分析の考察のポイント］があるので，それらを参考にするとよい。

[第1，2回既知試料分析の予習してくる項目]

１．概説および［ 目的 ］を要約し，＜目的＞を簡潔にまとめる。

２．［原理］を熟読し，＜原理＞の空欄を埋めて文章を完成させる。

３．各分離確認操作表を熟読し，図３－４ (p.66〜67)を参考にしながら，空欄を埋め，
　　分析対象イオンに適したフローチャート（系統図）を完成させる。

　　　　系統分析においては，表３－２ (p.68)のような分離確認操作表が実験操作という
　　　ことになる。この表を理解する意味で，各操作により試料溶液の各イオンがどの
　　　ような反応物に変化しているのか，また沈殿やろ液中に存在するのはどのイオン
　　　なのかを知るために，表３－６ (p.78)などに示した陽イオンの各個反応表と照ら
　　　し合わせてまとめるようにするとよい。また，実験結果として重要なのは，各操
　　　作の前後の観察であるから，観察記録を書きもらさないようにすることが大切で
　　　ある。図３－４ （p.66〜67）にフローチャートの例を示す。また，試薬の濃度や
　　　量などを明記することにより，このようなフローチャートのみで実験ができる工
　　　夫をすることも大切である。

[第1，2回既知試料分析の考察のポイント]

第１回目

（必須ポイント）

◎分析した金属陽イオンの確認操作について,結果と照らし合わせてその妥当性などを
　考察せよ。

（発展）

・Ⅰ族，Ⅱ族，Ⅲ族陽イオンが分けられる（分族できる）理由を原理および表３－６，
　表３－８から考えた上で，自分の結果から考察せよ。（Ⅰ族，Ⅱ族，Ⅲ族が分けられ
　たかどうかを自分の結果と原理および表３－６，表３－８などを比較しながら記すと
　よい。）

・必須ポイントで説明に用いた各反応について，それぞれ反応式を調べて記載する。

第２回目

◎分析したすべての金属陽イオン（５種 あるいは班によっては 7種）の確認操作につい
　て，結果と照らし合わせて，その妥当性などを考察せよ。

（発展）

・ⅡA族陽イオンとⅡB族陽イオンが分けられる（分族できる）理由を表３－６，表３－
　７から考えた上で，自分の結果からⅡA族とⅡB族が分けられたかどうか考察せよ。

・鉄，クロム，マンガンを分ける「分離操作」ができたかどうかを自分の結果と表3－7などの比較から考察せよ。

・アルミニウムと亜鉛を分ける「分離操作」ができたかどうか自分の結果と表3－7の比較から考察せよ。

・必須ポイントで説明に用いた各反応について，それぞれ反応式を調べて記載する。

　＊分族，分離，確認がその操作を行うことで可能となる理由をイオンの各個反応表（表3－6，7，8）などを利用して説明するとよい。

　＊自分の観察として記した沈殿や溶液の色を，イオンの各個反応表などに記された色などと照らし合わせて自分の結果を評価する。このとき，なぜそのように考えたのかということも合わせて記していくとよい。

[レポート提出直前チェック]

提出する前に，以下の点を再度点検しよう。
◆全体

・レポートは試験の答案と同じである。人に読まれること，評価されることを念頭に置き，ていねいに記されているか。

・他人と同じレポートは，原本・写本を問わず両方とも評価されない。オリジナリティーに富んだものになっているか。

◆表紙および書式

・記入漏れはないか（特に担当教員を忘れがち）。

・表紙にバーコードは貼ってあるか。

・レポートは上部2カ所を止めているか。

　—— **表紙不備のレポートは受理されない** ——

・p.15 の項目はすべてあるか。

　—— **考察のないレポートはレポートにあらず** ——

◆こんなレポートは提出しても評価されない

・原理を書いてない。

・結果－ここでは詳細な観察－を記していない。

・フローチャートがいいかげん。

金属陽イオンの各個反応

［ 陽イオンの各個反応表について ］

陽イオンの各個反応表は，以下の記述に基づいて示した。

1） 陽イオンは，金属硝酸塩の水溶液である。

2） 各陽イオンがその試薬と反応したときの生成物の化学式および色が記してある。

3） その試薬の過剰量に溶解する場合には，その溶解物の化学式および色が記してある。

4） 2）の反応生成物（沈殿の場合）の溶解性について記してある。

5） 溶解性に関しては，酸と記したものは，強酸（HCl, H_2SO_4, HNO_3 など）を意味し，CH_3COOH は含んでいない。

また，アルカリは，強アルカリ（NaOH，KOH など）を意味し，NH_4OH は含んでいない。

6） そのイオンの特異的な反応は，その他の反応として別に記してある。

7） 酸，塩基の濃度に関しては，p.24 の濃厚試薬濃度のものを濃塩酸，濃硝酸，濃アンモニア水などといい，適度に水で薄めたものを希塩酸，希硝酸，希アンモニア水などといい， 3〜6 mol/L くらいの濃度である。

＜Ⅰ族およびⅡA族陽イオンの反応＞

表3-6　Ⅰ族，ⅡA族陽イオンの各個反応表

試薬＼イオン	Cu^{2+}（青色）	Co^{2+}（淡紅色）	Ni^{2+}（緑色）
HCl	沈殿反応なし	沈殿反応なし	沈殿反応なし
NH₄OH	$Cu(NO_3)OH$： 　青緑色沈殿 　過剰に溶け 　$[Cu(NH_3)_4]^{2+}$ 　（濃青色）	$Co(OH)NO_3$： 　青色沈殿 　過剰に溶け 　$[Co(NH_3)_6]^{2+}$ 　（褐色）	$Ni(OH)_2$： 　淡緑色沈殿 　過剰に溶け 　$[Ni(NH_3)_6]^{2+}$ 　（青色）
Na₂S	CuS:黒色沈殿 可溶：熱希HNO_3 難溶：冷希酸 　　　NH_4OH 　　　Na_2Sx	CoS:黒色沈殿 可溶：濃HNO_3 　　　王水 難溶：希酸 　　　アルカリ 　　　NH_4OH	NiS:黒色沈殿 可溶：濃HNO_3 　　　王水 難溶：希酸

＜Ⅰ族陽イオンのその他の反応＞

1）　Cu^{2+}

①　ヘキサシアノ鉄（Ⅱ）酸カリウム　　（$K_4[Fe(CN)_6]$）

$2Cu^{2+} + [Fe(CN)_6]^{4-} \longrightarrow Cu_2[Fe(CN)_6]$　　　　　（赤褐色沈殿）

＜ⅡA族陽イオンのその他の反応＞

1）　Co^{2+}

①　チオシアン酸カリウム

$Co^{2+} + 2SCN^- \rightleftharpoons Co(SCN)_2$　　　（アセトンを加えると青色溶液）

$2Co^{2+} + 4SCN^- \rightleftharpoons Co[Co(SCN)_4]$　　　（アセトンを加えると青色溶液）

②　ジメチルグリオキシム

　　水溶性褐色キレート溶液

2）　Ni^{2+}

①　ジメチルグリオキシム

$Ni^{2+} + 2C_4H_8O_2N_2 \longrightarrow Ni(C_4H_7O_2N_2)_2$　　（NH_4塩基性溶液から赤色沈殿）

Ni^{2+}　+　2　$\begin{array}{c} CH_3C=NOH \\ | \\ CH_3C=NOH \end{array}$　$\longrightarrow$　(Ni dimethylglyoxime chelate 構造式)　+　$2H^+$

＜ⅡB族陽イオンの反応＞

表3－7　ⅡB族陽イオンの各個反応表

試薬 ＼ イオン	Fe^{3+}（黄褐色）	Mn^{2+}（淡紅色）	Cr^{3+}（濃紺色）	Al^{3+}（無色）	Zn^{2+}（無色）
HCl	沈殿反応なし	沈殿反応なし	沈殿反応なし	沈殿反応なし	沈殿反応なし
NH₄OH	$Fe(OH)_3$： 赤褐色沈殿 可溶：希酸 難溶：NaOH	$Mn(OH)_2$： 白色沈殿 空気酸化され 褐色沈殿 $MnO(OH)_2$	$Cr(OH)_3$： 灰緑色沈殿 可溶：希酸	$Al(OH)_3$： 白色沈殿 可溶：希酸	$Zn(OH)_2$： 白色沈殿 過剰に溶け $[Zn(NH_3)_6]^{2+}$ （無色）
Na₂S	Fe_2S_3： 黒緑色沈殿 可溶：酸 難溶：アルカリ NH₄OH Na₂Sx	MnS：肌色沈殿 可溶：希酸 CH₃COOH 難溶：アルカリ NH₄OH Na₂Sx	$Cr(OH)_3$： 灰緑色沈殿 過剰に溶け CrO_2^- （緑色） 可溶：希酸	$Al(OH)_3$： 白色沈殿 過剰に溶け AlO_2^- （無色） 可溶：希酸	ZnS：白色沈殿 可溶：希酸 難溶：CH₃COOH
NaOH	$Fe(OH)_3$： 赤褐色沈殿 可溶：希酸	$Mn(OH)_2$： 白色沈殿 空気酸化され 褐色沈殿 $MnO(OH)_2$	$Cr(OH)_3$： 灰緑色沈殿 過剰に溶け CrO_2^- （緑色） 可溶：希酸	$Al(OH)_3$： 白色沈殿 過剰に溶け AlO_2^- （無色） 可溶：希酸	$Zn(OH)_2$： 白色沈殿 過剰に溶け ZnO_2^{2-} （無色） 可溶：希酸

＜Ⅲ族陽イオンの反応＞

表3－8　Ⅲ族陽イオンの各個反応表

試薬 ＼ イオン	Mg^{2+}（無色）	
HCl	沈殿反応なし	
NH₄OH	$Mg(OH)_2$：白色沈殿	NH₄塩存在下では沈殿しない
Na₂S	$Mg(OH)_2$：白色沈殿	NH₄塩存在下では沈殿しない
NaOH	$Mg(OH)_2$：白色沈殿	可溶：希酸

＜ⅡB族陽イオンのその他の反応＞

1）　Fe^{3+}

①　チオシアン酸カリウム（KSCN）

$$Fe^{3+} + 3SCN^- \rightleftharpoons Fe(SCN)_3 \qquad \text{（血赤色溶液）}$$

$$Fe^{3+} + 6SCN^- \rightleftharpoons [Fe(SCN)_6]^{3-} \qquad \text{（血赤色溶液）}$$

②　ヘキサシアノ鉄（Ⅱ）酸カリウム　（$K_4[Fe(CN)_6]$）

$$4Fe^{3+} + 3[Fe(CN)_6]^{4-} \longrightarrow Fe_4[Fe(CN)_6]_3 \qquad \text{（濃青色沈殿）}$$

③　ヘキサシアノ鉄（Ⅲ）酸カリウム　（$K_3[Fe(CN)_6]$）

$$Fe^{3+} + [Fe(CN)_6]^{3-} \rightleftharpoons Fe[Fe(CN)_6] \qquad \text{（褐色溶液）}$$

2）　Mn^{2+}

①　ビスマス酸ナトリウム　（$NaBiO_3$）

$$2Mn^{2+} + 5BiO_3^- + 14H^+ \rightleftharpoons 2MnO_4^- + 5Bi^{3+} + 7H_2O \text{（赤紫色溶液）}$$
$$\text{（過マンガン酸イオン）}$$

②　ヘキサシアノ鉄（Ⅱ）酸カリウム　（$K_4[Fe(CN)_6]$）

$$2Mn^{2+} + [Fe(CN)_6]^{4-} \longrightarrow Mn_2[Fe(CN)_6] \qquad \text{（白色沈殿）}$$

3）　Cr^{3+}

①　水酸化ナトリウム（過剰の場合）

$$Cr(OH)_3 + OH^- \rightleftharpoons CrO_2^- + 2H_2O \qquad \text{（煮沸すると反応は左向き）}$$

②　過酸化水素　（H_2O_2）

$$2Cr(OH)_3 + 3H_2O_2 + 4OH^- \rightleftharpoons 2CrO_4^{2-} + 8H_2O \qquad \text{（黄色溶液）}$$

$$CrO_4^{2-} + Pb^{2+} \longrightarrow PbCrO_4 \qquad \text{（黄色沈殿）}$$
$$\text{（クロム酸鉛）}$$

（参考）

Fe^{2+}

①　ヘキサシアノ鉄（Ⅱ）酸カリウム　（$K_4[Fe(CN)_6]$）

$$2Fe^{2+} + [Fe(CN)_6]^{4-} \longrightarrow Fe_2[Fe(CN)_6] \qquad \text{（白色沈殿）}$$

②　ヘキサシアノ鉄（Ⅲ）酸カリウム　（$K_3[Fe(CN)_6]$）

$$3Fe^{2+} + 2[Fe(CN)_6]^{3-} \longrightarrow Fe_3[Fe(CN)_6]_2 \qquad \text{（濃青色沈殿）}$$

（参考）

アリザリンレッド　S

（参考）

マグネソン

3.2 合金の分析

　実用金属材料の種類はきわめて多数である。基本となる金属に，１種またはそれ以上の金属および非金属を混入させて特殊な性質を持たせ，改良した合金がそれらの大半をしめる。表３－９には，基調とした金属元素とその合金に含まれる金属元素を示した。実際の金属材料中にこれらの金属元素がすべて含まれているわけではない。たとえば，鉄合金（フェロアロイ）の場合，機械部品などに用いられているニッケル鋼には１～４wt%のニッケルが鉄に含まれているだけである。また，さびに強いステンレス鋼はクロム（17～20%），ニッケル（7～10%）が成分であり，本多らにより開発されたＫＳ鋼は，コバルト（30～40%），タングステン（6～8%），クロム（1～4%）が主要成分である。表３－９に記述した金属元素は，数種類の合金中に含まれる金属を列記したものである。

表3－9　金属材料中に含まれる可能性のある金属成分

合金名	含まれる可能性のある金属元素	用途例
鉄合金	Fe,　Cu, Co, Ni,　Mn, Cr, Al	レール，クランクシャフト，時計磁石，スプーン，鉄筋，流し
銅合金	Cu,　Co, Ni, Fe,　Mn, Al, Zn	5円玉，100円玉，新500円玉スクリュー，電気抵抗器，管楽器
アルミニウム合金	Al,　Cu, Ni, Fe,　Mn, Zn, Mg	航空機材料，シリンダーヘッド鉄道車両，金属バット，アルミ缶エンド
ニッケル合金	Ni,　Cu, Co, Fe,　Mn, Cr, Al	電熱線，ジェットエンジンブレードガスタービン，漏電警報機，核燃料スペーサー・スプリング

＜合金分析の準備＞

　金属材料分析の実験を行うためには，以下の準備が必要である。

①材料の選択

　表３－９の用途例の中から分析したい用途の材料を選択する。

②フローチャートの作成

　金属を溶解した溶液について分析を行うことになるので，いくつかの金属陽イオンを含んだ溶液を系統的に分析するためのフローチャートを作成する。たとえば，材料とし

て「レール」を選択した場合，レールは「鉄合金」に属するため，対象となる金属元素は「Fe, Cu, Co, Ni, Mn, Cr, Al」となる。この7種類の金属を分析できるようなフローチャートを作成すればよい。

> 金属の溶解および系統分析フローチャートの作成に関しては，教員と
> ディスカッションをするとよい。

③材料についての調査

選択した用途の材料について，ハンドブックや辞典などで性質や代表的な組成などを調べておくことにより，分析結果の予測ができ，実際の分析操作中に，余分な操作をしなくてすむ。

＜合金の分析＞

［実　験］

合金分析の準備で作成したフローチャートに従って実験を行う。溶解に関しての一般的な方法を以下に記しておく。

① 金属合金粉末試料[1] 約 0.1 g を，蒸発皿に移す。

  1) 試料として金属塊を用いると，溶解に時間がかかるので，実験時には，実際の合金と組成が同じ**金属粉末を試料として用いる**。また，成分元素が微量だと場合によっては分析できないこともありうるので，成分元素の混合比も分析できる程度に変えてある。

② これに，3 M-HCl を 5 mL 加え，ガスバーナーで加熱し，粉末試料を溶解する。

③ **②の操作で，試料粉末がすべて溶解した場合**は，さらに 3 M-HNO$_3$ 1 mL を加え，2〜3分間加熱し，溶液の半量を試料溶液として分析を開始する（残りの半量は予備のために試験管に保存しておく）。

④ **②の操作で，溶解しない粉末がある場合**は，上澄み液をデカンテーション（Ⅱ編の **3.4 デカンテーション**（p.26）参照）によりビーカーに移し取っておく。蒸発皿中の残さは 3 M-HNO$_3$ 5 mL を加えて，加熱溶解する。

　この溶液とデカンテーションにより取り置いた溶液を合わせ，軽く加熱し，得られた溶液の半量を試料溶液として分析を開始する（残りの半量は予備のために試験管に保存しておく）。

[第3回－合金の分析（未知試料分析）の予習してくる項目]

1．自分の選んだ材料について，＜目的＞を簡潔にまとめる。

2．テキスト p.87 の「参考1 金属の溶解」およびテキスト p.62～63 の［原理］をそれぞれ熟読し，＜原理＞の(1)の空欄を埋めて文章を完成させ，(2)は自分でまとめる。

3．金属粉末を渡すので，金属の溶解（p.84）について＜実験方法および結果＞の「金属の溶解」にまとめる。

4．各分離確認操作表を熟読し，図3－4を参考にしながら，＜実験方法および結果＞の「金属陽イオンの分析」に，分析対象イオンに適したフローチャートを作成する（全 9種類を分析するフローチャートから，不要な部分に「×」をつけ，必要な部分の空欄を埋める）。

　　＊　材料分析では，フローチャートを作成する際に，**自分の選んだ材料に適したフローチャートを作成しないと実験がスムーズに進まない。**
　　　　このようなフローチャートを準備すると共に，第1，2回目での知見から立てた予測（沈殿の有無や沈殿や溶液の色などから推測される金属陽イオン）をメモしておくことも，実験を進める上で大きな手助けとなる。

[第3回－合金の分析（未知試料分析）の考察のポイント]

（必須ポイント）

　◎選択した材料中にはどの金属元素が含まれていたかを，実験の各操作（金属の溶解，分族，分離，確認）の観察から詳細に説明する。

（発展）

・金属元素の性質が合金の性質にどのように関わっているのか考える。

・自分の選択した合金の実用材料としての用途を調べる。

［ レポート提出直前チェック ］

提出する前に，以下の点を再度点検し，確認したら □ に レ を記入しよう。

◆全体

□ レポートは試験の答案と同じである。人に読まれること，評価されることを念頭に
　　 置き，ていねいに記されているか。

□ 他人と同じレポートは，原本・写本を問わず両方とも評価されない。オリジナリ
　　 ティーに富んだものになっているか。

◆表紙および書式

□ 記入漏れはないか（特に担当教員を忘れがち）。

□ 表紙にバーコードは貼ってあるか。

□ レポートは上部２カ所を止めているか。

　　　── 　表紙不備のレポートは受理されない 　──

□ p.15 の項目（目的，原理，実験方法，結果，考察）はすべてあるか。
　　（＜実験方法および結果＞をフローチャートにまとめて記すとよい。）

　　　── 　考察のないレポートはレポートにあらず 　──

◆次の項目は特に重要。これがないとレポート提出しても評価されない

□ 結果として，詳細な観察記録を記しているか。

□ 選択した材料（合金）の分析に適したフローチャートとなっているか。

□ 選択した材料中にどの金属元素が含まれていたのか検討しているか。

Ⅲ. 参 考

参考1　金属の溶解

　金属材料の分析は，金属を溶解した溶液で行うことが一般的である。金属の溶解に使用される試薬としては，酸が最も重要である。多くの金属は塩酸，あるいは硝酸により溶解することができる。また，これらの酸の混合物である王水（濃硝酸：濃塩酸＝１：３）などもよく用いられる。原則的には，揮発性のある酸（塩酸，硝酸など）を使用する。これらの酸は過剰に加えられたときでも蒸発によってその過剰分を除去することができる。酸による溶解においては，試料が完全に溶解されること，溶解した成分が溶液中に長時間安定に保持されることが重要である。酸を大過剰加えることは，その後の分析に影響を与えることもあるが，加水分解などを防ぐために酸濃度を高くしなければならないこともある。

　金属の溶解に使用される酸を溶解反応の差異で大別すると酸化性の酸と非酸化性の酸に分けられる。酸化性の酸としては硝酸があり，非酸化性の酸としては塩酸，硫酸などがあげられる。下記の反応式で見られるように，非酸化性の酸の場合，金属の溶解にともない水素を発生するが，酸化性の酸の場合には水素ガスの発生はない。

$$Fe\ +\ 2HCl\ \longrightarrow\ FeCl_2\ +\ H_2$$

$$4Fe\ +\ 10HNO_3\ \longrightarrow\ 4Fe(NO_3)_2\ +\ NH_4NO_3\ +\ 3H_2O$$

　表３－１０に，酸に対する各金属元素の溶解性を示した。この表において，希酸とは常備試薬程度の濃度の酸を示し，濃，希という表示のない酸は，濃酸，希酸の両方を含むものとする。熱 HNO_3 とは，沸騰点近く加熱した HNO_3 のことであり，温 HNO_3 は若干加熱した程度の酸を意味する。その他は常温における溶解性である。また，激しくすぐに反応するものと，徐々に反応するものとの区別をつけていない。

表３－１０　酸に対する金属元素の溶解性

	易溶	難溶，不溶
Ag	HNO_3, 濃H_2SO_4	HCl, 希H_2SO_4, CH_3COOH
Cu	HNO_3, 熱濃HCl, 熱濃H_2SO_4	希HCl, 希H_2SO_4
Co	希HNO_3, 希HCl, 希H_2SO_4	濃HNO_3
Ni	希HNO_3	濃HNO_3, 希HCl, 希H_2SO_4
Fe	希HNO_3, 希HCl, 希H_2SO_4, CH_3COOH	濃HNO_3, 濃H_2SO_4
Mn	希HNO_3, 希HCl, 希H_2SO_4, CH_3COOH	
Cr	HCl, H_2SO_4	HNO_3
Al	熱HNO_3, HCl, H_2SO_4, CH_3COOH	HNO_3
Zn	希HNO_3, 希HCl, 希H_2SO_4, CH_3COOH	濃HNO_3
Mg	希HNO_3, 希HCl, 希H_2SO_4, CH_3COOH	

参考2　難溶性塩の溶解平衡と溶解度積定数

塩化銀（AgCl），硫化銅（CuS），水酸化鉄（Ⅲ）（Fe(OH)₃）などの塩は水に溶けにくく難溶性塩という。このような難溶性塩でもわずかではあるがその溶解度の分だけは水に溶けて，その塩の飽和溶液になる。

難溶性塩 AB（1価2元電解質）の飽和溶液においては次の溶解平衡が成り立っている。

$$AB（固体）\rightleftharpoons AB（分子状）\rightleftharpoons A^+ + B^-$$

平衡時における A⁺イオンおよび B⁻イオンの濃度をそれぞれ [A⁺] および [B⁻]（単位は mol/L）で表せば，次の関係が成り立つ。

$$[A^+][B^-] = Ksp \tag{Ⅲ-1}$$

ここで，Ksp は**溶解度積定数**と呼ばれ，温度が一定なら難溶性塩に特有な値である。

一般に，難溶性塩 A_mB_n については（Ⅲ-2）式で示される。

$$[A^{p+}]^m [B^{q-}]^n = Ksp \tag{Ⅲ-2}$$

硫化銅 CuS の飽和溶液については，CuS の溶解度積定数は 6×10⁻³⁶（25 ℃）であるので，（Ⅲ-3）式の関係が成り立っている。

$$[Cu^{2+}][S^{2-}] = Ksp（CuS）= 6×10^{-36} \tag{Ⅲ-3}$$

したがって，溶液中に Cu²⁺ と S²⁻ が存在するとき，両イオンの濃度の積が，$[Cu^{2+}][S^{2-}]<6×10^{-36}$ であれば CuS は沈殿しない。

また，$[Cu^{2+}][S^{2-}]>6×10^{-36}$ であれば $[Cu^{2+}][S^{2-}]=6×10^{-36}$ になるまで CuS が沈殿し，溶解平衡の状態になる。（Ⅲ-3）式のような関係は，溶液中の [S²⁻] を増大させれば [Cu²⁺] を減少させることができることを示している。金属陽イオンの定性分析実験などにおいて，ある種の金属イオンをできるだけ沈殿除去する目的で，S²⁻のような沈殿剤のイオン濃度を増大させる方法が「**共通イオン効果**」としてよく用いられる。

参考3 硫化物の沈殿生成

硫化ナトリウム法による金属イオンの分析は，液性（溶液の酸性度）の違いによって沈殿する硫化物が異なることを巧みに利用している。すなわち，Ⅰ族陽イオンは塩酸酸性，Ⅱ族陽イオンは塩基性の状態で S^{2-} と反応して難溶性の硫化物として沈殿する。

この理由を前項の溶解平衡の理論をもとに説明する。

いま，試料溶液中に金属イオン M^{2+} があり，その濃度を $[M^{2+}]$ とする。硫化物 MS の溶解度積定数を Ksp (MS) とすれば，

$$[M^{2+}][S^{2-}] > Ksp\ (MS) \tag{Ⅲ-4}$$

のとき MS が沈殿し，

$$[M^{2+}][S^{2-}] \leqq Ksp\ (MS) \tag{Ⅲ-5}$$

のとき MS は沈殿しないことは前項の説明から明らかである。

まず，溶液中の硫化物イオンの濃度 $[S^{2-}]$ について考える。

硫化ナトリウム Na_2S は酸と反応して硫化水素 H_2S を生成する。

$$Na_2S\ +\ 2HCl\ \longrightarrow\ H_2S\ +\ 2Na^+\ +\ 2Cl^- \tag{Ⅲ-6}$$

この H_2S は水の中で次のように2段階解離して S^{2-} を生じる。

$$H_2S\ \rightleftarrows\ H^+\ +\ HS^- \tag{Ⅲ-7}$$

$$HS^-\ \rightleftarrows\ H^+\ +\ S^{2-} \tag{Ⅲ-8}$$

H_2S の第1解離における解離定数 K_1 および第2解離における解離定数 K_2 はそれぞれ（Ⅲ-9）および（Ⅲ-10）式で示される。

$$K_1 = \frac{[H^+][HS^-]}{[H_2S]} = 9.0 \times 10^{-8} \tag{Ⅲ-9}$$

$$K_2 = \frac{[H^+][S^{2-}]}{[HS^-]} = 1.2 \times 10^{-15} \tag{Ⅲ-10}$$

したがって，$H_2S\ \rightleftarrows\ 2H^+\ +\ S^{2-}$ の解離定数 K は，（Ⅲ-11）式となる。

$$K = \frac{[H^+]^2[S^{2-}]}{[H_2S]} = K_1 \times K_2 = 1.1 \times 10^{-22} \tag{Ⅲ-11}$$

Na_2S が酸と反応するとき，化学反応式（Ⅲ-6）式より，Na_2S と同 mol の H_2S が生じるので，$[H_2S]=[Na_2S]$ である。実際の実験においては $1M\text{-}Na_2S$ 1 mL が全体として 19 mL に希釈されているので，

$$[H_2S] = [Na_2S] = 0.053\ mol/L$$

である。したがって，溶液中の硫化物イオンの濃度 $[S^{2-}]$ は，（Ⅲ-12）式で示される。

$$[S^{2-}] = K \times \frac{[H_2S]}{[H^+]^2} = \frac{5.8 \times 10^{-24}}{[H^+]^2} \tag{Ⅲ-12}$$

このように，溶液中に存在できる硫化物イオンの濃度 $[S^{2-}]$ は水素イオン濃度 $[H^+]$，すなわち液性に依存する。

次に，およそ 1.5 M の塩酸酸性溶液*から金属イオン M^{2+} が硫化物 MS として完全に沈殿する Ksp 条件を考える。

1.5 M の塩酸酸性溶液では，$[H^+]＝1.5$ mol/L であるから，この溶液中に存在しうる硫化物イオンの濃度は，（III－12）式より

$$[S^{2-}]＝2.6×10^{-24}\ \text{mol/L}$$

である。また，定性分析において金属イオンが溶液から完全に沈殿分離されたとみなせる残存金属イオンの濃度 $[M^{2+}]$ を $1×10^{-5}$ mol/L とすれば，そのときのイオン濃度の積は

$$[M^{2+}][S^{2-}]＝2.6×10^{-29}$$

となる。したがって，M^{2+} が硫化物 MS として完全に沈殿するための Ksp（MS）の値は，理論上次のように示される。

$$\text{Ksp（MS）}<[M^{2+}][S^{2-}]＝2.6×10^{-29} \tag{III－13}$$

すなわち，常温で溶解度積定数 Ksp の値が $2.6×10^{-29}$ より小さい硫化物を生成する金属イオンは，1.5 M 塩酸酸性溶液から Na_2S により完全に沈殿するので，I 族陽イオンとして分族が可能となる。

また，ある金属イオンの硫化物の Ksp を知れば，その金属イオンを硫化物として完全に沈殿させるための pH 条件を，（III－4）式と（III－12）式の関係を用いて予測することもできる。

---

* 実際の実験操作では，6 M-HCl 5 mL が全体として 19 mL に希釈され，さらに 1 M-Na_2S 1 mL と反応しているので 1.47 M 塩酸酸性となっている。

4 アルコール発酵能の測定

Ⅰ. 概　説

　「発酵 Fermentation」とは，微生物が有機物質を分解し，生命活動に必要なエネルギー
を獲得する働きである。発酵の形式は微生物の種類や環境により異なり，生成物の種類に
よっても違っている。人類は古くから微生物の発酵能を利用してきたが，生成物の1つで
あるアルコール（エタノール）は，飲料用として生活の必需品にまで定着している他，石
油燃料に代わる燃料資源として注目を集めている。

　生物の関与するすべての反応には生物の持つ酵素が必要であり，たとえばアルコール発
酵においても十数種類の酵素（酵素群）が関与している（p.98 参照）。これらの酵素は，
温度，pH や反応の原料となる物質（これを基質という）の違いにより，その活性が著しく
異なり，それぞれ最適な条件（これを至適温度・至適 pH・基質特異性などという）が存在
する。

Ⅱ. 実　験

［ 目　的 ］

　アルコール発酵に必要な酵素群を細胞内に持つ酵母菌体を用いて，最適条件（至適 pH,
至適温度）のもとで，酵母がアルコール発酵に利用できる糖類を調べる。

［ 原　理 ］

　酵母によるアルコール発酵は，グルコースをピルビン酸まで分解する解糖系（Glycolysis
path）とピルビン酸をエタノールまで分解する経路より構成される(p.98 参照)。前半の過程
である解糖系はヒトを含むほぼすべての生物に存在する代謝経路である。

　酵母はアルコール発酵により1分子のグルコースを2分子の CO_2 と2分子のエタノール
にまで分解し，2分子の ADP と無機リン酸より2分子の ATP（アデノシン三リン酸）を
合成する。この際にグルコースの持つエネルギーの一部は ATP 分子に蓄えられる。ATP
は生物に共通な高エネルギー化合物である。ATP が ADP と無機リン酸に分解される際に
エネルギーが放出される。このエネルギーを利用して酵母は増殖する。酵母によるアルコ
ール発酵の反応は次式で表される。

$$C_6H_{12}O_6 \longrightarrow 2\,C_2H_5OH + 2\,CO_2$$

$$2\,ADP + 2\,Pi\,（無機リン酸）+ 61.0\ kJ \rightarrow 2\,ATP$$

アルコール発酵能は，基質であるグルコースの減少量，CO_2 の発生量，または生成する ATP 量などを測定することで評価されるが，本実験では，CO_2 の発生量を測定する方法を採用している。

　CO_2 の発生量については，酵母自身の酸素呼吸により発生する少量の CO_2 も含まれるが，本実験ではすべて発酵により発生するものとして扱う。また，発生した CO_2 は水に溶けていくので，若干の誤差を生じるが，これも無視するものとする。

　酵素はタンパク質の一種であり，生体内で起こるさまざまな化学反応を触媒する。酵素が化学反応を触媒する際には，酵素と反応物質（基質）の結合が起こる。通常，酵素は特定の基質にのみ安定に結合する。これを酵素の基質特異性と呼ぶ。酵素の基質特異性は酵素タンパク質が基質の形に合致するための構造を持つことに由来する。これはしばしば鍵と鍵穴の関係にたとえられる（図4－1）。

　温度や pH の変化は酵素タンパク質の立体構造を変化させるため，酵素の活性に影響を与える。酵素の活性が最も高くなる温度および pH を，至適温度および至適 pH と呼ぶ。

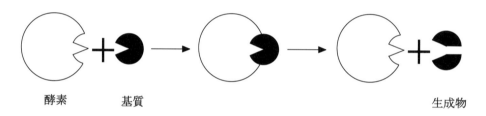

酵素　　　基質　　　　　　　　　　　　　　　　　　　生成物

図4－1　酵素と基質の結合（基質特異性）

［ 器　具 ］

　ガスビュレット装置［ガスビュレット(25 mL)，枝付ビーカー，三方コック，ゴム管，ガラス管，ガスビュレットスタンド］，三角フラスコ(50 mL)　8，

　メートルグラス(10 mL)，ガラス棒

　共通器具：恒温水槽，電子天秤，秤量皿，カラーテープ

　貸し出し器具：ストップウォッチ

［ 試料および試薬 ］

　乾燥酵母，純水（恒温水槽内）

　McIlvaine 緩衝溶液（pH 5.0）

　5%グルコース溶液，5%フルクトース溶液，5%ガラクトース溶液，

　5%マンノース溶液

［ 実験方法 ］

（1）　三角フラスコに各溶液を調製する。

　　　　　A液：秤量皿を用いて乾燥酵母 2 g をはかりとり，三角フラスコに移す。

　　　　　　　　純水[1] 10 mL を加え，よくかき混ぜて懸濁液を作る[2]。

　　　　　B₁液：pH 5 の緩衝溶液[1]　10 mL と 5%グルコース溶液[1]　5 mL を混合する。

　　　　　　　　1）ここで用いる純水，McIlvaine 緩衝溶液および各種糖溶液は試薬用恒温水槽

　　　　　　　　　　(35 ℃)中にあるものを使う。

　　　　　　　　2）酵母は水に完全には溶解しないので，粒が残った状態(懸濁液)となる。

　　　　　　　　　　この酵母懸濁液の調製は恒温水槽に入れる少し前に行う。

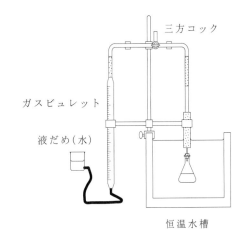

（2）　A液およびB₁液の入った三角フラスコ
　　　を，35 ℃の恒温水槽に10分間浸してお
　　　く。このとき，恒温水槽中の三角フラ
　　　スコホルダーで固定しておく。

（3）　ガスビュレット装置を恒温水槽にセッ
　　　トする。

　　　　このとき，反応容器である三角フラス
　　　コ[3] が恒温槽の水面下になること，およ
　　　びゴム管が折れ曲がらないことなどに注
　　　意して高さを調節した後，装置全体を固

図4－2　装置組立図

　　定する（図4－2）。 液だめに純水を半分くらい入れる（**ガスビュレットの使い方①**
　　参照）。

　　　　　　　　3）ゴム栓がはずれないようにしっかりと接続する。

（4）　（2）で恒温にした A 液に B₁ 液を加え，この三角フラスコをガスビュレット装置の
　　　ゴム栓に接続し，恒温水槽に浸しながら 30 秒ほど緩やかに振り混ぜる。このとき，
　　　空気漏れのないように気を付ける（**ガスビュレットの使い方②** 参照）。

（5）　ガスビュレットの水位を 0.00 目盛に合わせる（**ガスビュレットの使い方③** 参照）。

（6） ガスビュレットの水位を 0.00 に合わせたときを，時間 0 として，以後 1 分ごとに気体の発生量を読みとる（**ガスビュレットの使い方**④ 参照）。このとき，三角フラスコ内の気泡の状態を観察する。

ガスビュレットの目盛を読む場合は最小目盛の 1/10 まで読む。ここでは小数点以下第 2 位（たとえば 7.95 や 15.24）まで読む。

ガスの発生量が 25 mL を越えるか，測定時間が 20 分経過するかのどちらかで測定を終了する。

ガスビュレットの使い方

① 液だめに純水を半分くらい入れる。三方コックのネジを調整する。

② 三方コックを図 4－3 a の位置にして（垂直方向の管が開いている方に・がついているので，この場合は・が上になるようにコックを回す），試料混合液の入った反応容器をガスビュレット装置のゴム栓に接続する。

③ ガスビュレットの水位が 0.00 目盛となるように，液だめを静かに上げ調節した後，三方コックを図 4－3 b の位置まで（・が下になるように）回転する。コックの回転は，コックがゆるまないように両手で押さえつけるように行う。

④ **目盛を読みとるときは，液だめの水面とガスビュレットの水位を一致させながら行う。**

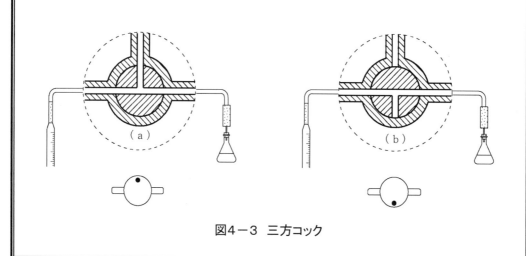

図4－3 三方コック

（7） B₁ 液のかわりに B₂ 液，B₃ 液および B₄ 液を用い，上記の（1）〜（6）の操作を行う。

B₂ 液：pH 5 の緩衝溶液 10 mL と 5% フルクトース溶液 5 mL を混合する。

B₃ 液：pH 5 の緩衝溶液 10 mL と 5% ガラクトース溶液 5 mL を混合する。

B₄ 液：pH 5 の緩衝溶液 10 mL と 5% マンノース溶液 5 mL を混合する。

（8） 測定終了後の三角フラスコ内の試料溶液は，所定の回収容器に捨てる。

（9）　時間を横軸に，CO_2 発生量を縦軸にとり，各糖における CO_2 の発生量をプロット
　　　したグラフを作成する（**図4－4**参照）。

（10）　作成したグラフの単位時間における CO_2 発生量が最も大きい周辺の直線部分の傾
　　　き[4] から，各糖における単位時間（1分間）に発生した CO_2 量（**アルコール発酵能と
　　　いう**）（**図4－4**の直線の傾き）を求める。

　　　　　　　　4）できるだけ広い範囲において直線を引くこと。
　　　　　　　　　　傾きを求めるときも，直線部分の広い範囲を用いて計算すること。
　　　　　　　　　　x_1，y_1，x_2，y_2 の値は測定データではなく，直線上の点として読みとる。

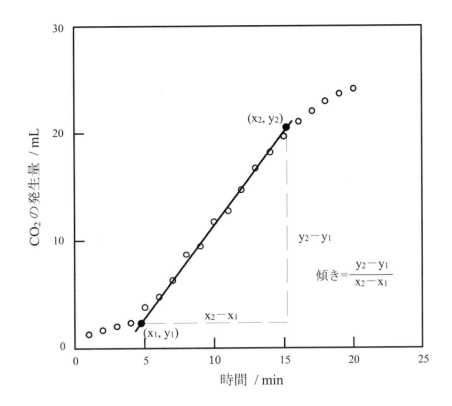

図4－4　グラフよりアルコール発酵能を求める方法

[廃棄物処理]

　　廃液（三角フラスコ内）　→　懸濁液回収容器（試薬台上）

［ 結果のまとめ ］

1．実験方法（9）－ 時間を横軸に，CO_2 発生量を縦軸にとり，各糖における CO_2 の発生量をプロットしたグラフを作成する。

2．実験方法（10）－ 作成したグラフの単位時間における CO_2 発生量が最も大きい周辺の直線部分の傾きから，各糖のアルコール発酵能を求める。

3．各糖のアルコール発酵能を比較する。

［ 予習してくる項目 ］

1．実験の＜目的＞を［目的］部分以外も熟読し，簡潔にまとめる。

2．［原理］を熟読し，＜原理＞の空欄を埋めて文章を完成させる。

3．実験方法を熟読し，自分が実験しやすいように文章でまとめる。

4．実験で得られるデータを記入する表および図のタイトルを記入する。

［ 考察のポイント ］

（必須ポイント）

◎各糖のアルコール発酵能の差異について考察する。

（発展）

・ガスビュレットの目盛と液だめの水位を一致させる理由は何か。

・実験では，気温と気圧が重要なデータである理由は何か。

・グルコース，フルクトース，ガラクトースおよびマンノースの化学構造が p.99 に記載してあるので，アルコール発酵能の違いを化学構造の違いから推測する。

・温度など，pH 以外の他の条件でアルコール発酵能（活性）が違ってくる理由は何か。

・各糖が多く含まれている食品（グルコースは米に含まれているなど）を調べ，その食品を原料として酒を作ることができるか，また，実際に作られているものにはどんなものがあるのか，さらにさまざまな原料で酒類が作られる理由を考える。

・次のものの製造に微生物がどのように関与しているか。

　みそ，しょう油，ヨーグルト，食酢，ワイン，日本酒，ペニシリン，納豆

[レポート提出直前チェック]

提出する前に，以下の点を再度点検し，確認したら □ に レ を記入しよう。

◆全体

□ レポートは試験の答案と同じである。人に読まれること，評価されることを念頭に
置き，ていねいに記されているか。

□ 他人と同じレポートは，原本・写本を問わず両方とも評価されない。オリジナリ
ティーに富んだものになっているか。

◆表紙および書式

□ 記入漏れはないか（特に担当教員を忘れがち）。

□ 表紙にバーコードは貼ってあるか。

□ レポートは上部２カ所を止めているか。

—— 表紙不備のレポートは受理されない ——

□ p.15 の項目（目的，原理，実験方法，結果，考察）はすべてあるか。

—— 考察のないレポートはレポートにあらず ——

◆次の項目は特に重要。これがないとレポート提出しても評価されない

□ グラフを添付したか。

□ グラフ上の作図や計算式を示し，アルコール発酵能を求めているか。

□ 考察の必須ポイントを検討しているか。

【 参考書 】

"コーン・スタンプ 生化学"，田宮 信雄 他訳，東京化学同人

"生化学辞典（第２版）"，今堀 和友 他監修，東京化学同人

"微生物工学の応用"，七字 三郎，共立出版

"現代生化学"ボビンスキー（太田次郎監訳）オーム社

"トコトンやさしい 発酵の本"，共和発酵工業編，日刊工業新聞社

Ⅲ. 参 考

参考1 解糖およびアルコール発酵の経路

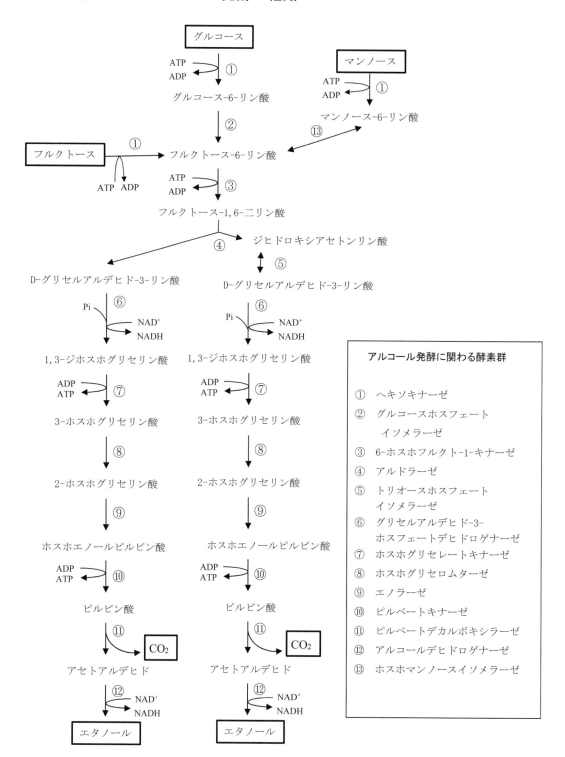

参考2 糖の構造式

D-グルコース（D-glucose）
（ブドウ糖）
$C_6H_{12}O_6$

$$
\begin{array}{c}
\text{①CHO} \\
\text{H－②C－OH} \\
\text{HO－③C－H} \\
\text{H－④C－OH} \\
\text{H－⑤C－OH} \\
\text{⑥CH}_2\text{OH}
\end{array}
$$

D-フルクトース（D-fructose）
（果糖）
$C_6H_{12}O_6$

$$
\begin{array}{c}
\text{①CH}_2\text{OH} \\
\text{②C}=\text{O} \\
\text{HO－③C－H} \\
\text{H－④C－OH} \\
\text{H－⑤C－OH} \\
\text{⑥CH}_2\text{OH}
\end{array}
$$

D-ガラクトース（D-galactose）
（脳糖）
$C_6H_{12}O_6$

$$
\begin{array}{c}
\text{①CHO} \\
\text{H－②C－OH} \\
\text{HO－③C－H} \\
\text{HO－④C－H} \\
\text{H－⑤C－OH} \\
\text{⑥CH}_2\text{OH}
\end{array}
$$

D-マンノース（D-mannose）
$C_6H_{12}O_6$

$$
\begin{array}{c}
\text{①CHO} \\
\text{HO－②C－H} \\
\text{HO－③C－H} \\
\text{H－④C－OH} \\
\text{H－⑤C－OH} \\
\text{⑥CH}_2\text{OH}
\end{array}
$$

5 天然物からのカフェインの抽出
および同定

Ⅰ. 概 説

　カフェインは，1820 年 Runge によりコーヒー豆から初めて抽出された。コーヒー豆には1〜2％，緑茶には1〜5％，カカオ豆には1％のカフェインが含まれている。

　カフェインの化学構造式を右に示した。

　カフェインの結晶は，苦みのある絹糸光沢のある針状結晶であり，融点（m.p.）238 ℃，昇華点 178 ℃を示す。また，各溶媒 100 g に溶けるカフェインの量は，冷水では 2.2 g，熱水では 67 g，クロロホルムでは 18 g，エタノールでは 1.5 g である。

　現在では，天然物からの抽出や合成により得られており，医薬品（中枢興奮剤・利尿剤・強心剤），分析用試薬（ビスマス，アンチモン，金の検出）などに用いられている。

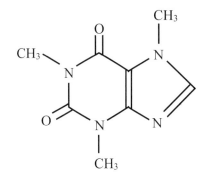

カフェインの構造式

Ⅱ. 実 験

［ 総合目的 ］

　緑茶は，有機化合物として実にたくさんの成分（アミノ酸類，カテキン類〈タンニン〉，ビタミン類，糖類，カフェイン，アルカロイド類，香気成分など）を含んでいる。その中から単一成分としてカフェインを結晶として取り出し，その結晶がカフェインであるかどうかを同定する。

　2回にわたり実験を行うので，各回ごとの実験の目的を理解しておくこと。

《 実 験 1 》〈1回目〉

[目 的]

　緑茶は，有機化合物として実にたくさんの成分（アミノ酸類，カテキン類〈タンニン〉，ビタミン類，糖類，カフェイン，アルカロイド類，香気成分など）を含んでいる。その中からカフェインを抽出し，結晶（ここでは粗結晶）として取り出す。

[原 理]

　一般的に有機化合物は，水に対する溶解度は小さく，有機溶媒にはよく溶けるので，この特性を利用して，多量の水試料中に存在する有機化合物を少量の有機溶媒に抽出（濃縮）することができる。さらに抽出された有機化合物の中から，単一成分としてカフェインを単離するには，有機化合物の溶媒に対する溶解性の違いによる分別法，また，種々のクロマトグラフ法など，いろいろな方法を組み合わせて分離する。

[器 具]

　ビーカー(500 mL) 2，ビーカー(300 mL) 2，ビーカー(100 mL)，分液ロート(500 mL)，
　メスシリンダー(100 mL)，蒸留装置一式［ナス形フラスコ(100 mL)，枝付連結管，
　冷却器，採取アダプター，三角フラスコ(100 mL)，温度計，温度計ホルダー，ジョイント用クランプ(大 1 小 2)，ゴム管 2］，吸引びん，ブフナーロート，茶こし，
　ロート(大 2)，ガラス棒，薬さじ，水浴，
　三脚，金網，バーナー，スタンド，クランプ，ホルダー，軍手，分液ロート台，
　フラスコ台，吸引ポンプ，チャッカマン，保護メガネ，洗びん
　共通器具：電子天秤，秤量皿，薬包紙，ろ紙，パラフィン紙，ラベル

[試料および試薬]

　緑茶，塩化ナトリウム，クロロホルム，無水硫酸ナトリウム（Na_2SO_4），沸騰石

[実験前の準備]

少し早めに来て以下の準備をしておくと，実験がスムーズに運びますよ！

　　＊ビーカー(500 mL)に純水 400 mL を入れ，加熱して熱湯を作っておく。
　　＊1回目の（6）（7）の操作で使用するガラス器具は，乾燥させたものを用いる必
　　　要があるので，自分の予習に従い，それらを洗浄して乾燥器に入れておく。

[実験方法]

〈カフェインの抽出・分離〉

（1） 秤量した緑茶（茶葉の形状，メーカー，産地などのチェック）約 30 g（専用の秤量
皿あり）を入れたビーカー(500 mL)に，熱湯 400 mL[1) を入れ，5分ほど静置した後，
ビーカーを傾けて上澄み液（抽出液）を別のビーカー(500 mL)に移す[2)。使用済み緑
茶は，各実験台の流しの水切りカゴに捨てる。

> 1） あらかじめ別のビーカー(500 mL)に純水 400 mL を入れ，加熱して
> 熱湯を作っておくとよい。
> 2）移す場合には，茶こしを利用し，ガラス棒などで絞らないようにすること。
> 後の操作が難しくなる。

（2） 抽出液を移したビーカーを水で冷却した後，ブフナーロートを使用してお茶の微粉
末を吸引ろ過（p.26 3.3 **吸引ろ過**および**吸引ろ過の方法** 参照）により取り除く（吸引
びん内を観察）。ろ液はビーカー(300 mL)に移す。

吸引ろ過の方法

① 5.5 cmのろ紙をろ過板上に置き，純水でろ紙を湿らせる。

② 吸引ポンプの電源スイッチをONにしてから吸引びんにゴム管をつなぎ，軽く吸
引し，ろ紙をろ過板に密着させる。

③ 吸引びんにつないだゴム管をいったんはずしてから，ブフナーロートに抽出液を
入れ，再び，吸引しながら溶液をろ過する。

④ 抽出液は少量ずつろ過し，ろ紙が目詰まりしてろ過しにくくなったら，ろ紙を交
換する。

⑤ ろ過終了後，吸引びんにつないだゴム管をはずし，吸引ポンプの電源スイッチを
OFFにする。決してろ過終了後，最初に電源スイッチをOFFにしてはいけない。

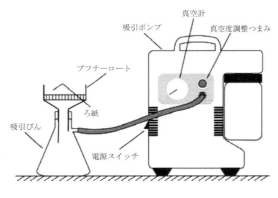

図5－1 吸引ろ過

（3）　塩化ナトリウム約 20 g（専用の秤量皿あり）　をはかりとり，（2）のろ液に少量ずつ加え，よくかき混ぜ完全に溶かす（加えた際の変化を観察）。

p.112 分液ロートの使用法 に従い，以下の操作を行う。

（4）　（3）の溶液を分液ロートに移す。さらに，クロロホルム[3] 30 mL を静かに加えてゆるやかに振り混ぜ，静置する。時間が経つと2層（もしくは3層）に分離してくるから（このときの分液ロート内の様子をスケッチする），コックを開いて下層のクロロホルム層（無色透明の層）のみをビーカー(300 mL)に流し出す。

> 3）メスシリンダーを用いてはかりとる。
> クロロホルム（沸点 61.2 ℃）は麻酔性があり，環境にも多大な影響を与える物質であるから取り扱いに注意する。

（5）　（4）で分液ロート内に残った液に新しいクロロホルム 30 mL を加えて，（4）のゆるやかに振り混ぜる操作からもう一度繰り返し，クロロホルム抽出液は(4)の液と合わせる。このとき，エマルジョン層（水層とクロロホルム層の間の泡の層）も一緒に流し出す。

分液ロート内に残った水溶液は（7）の蒸留操作後に，有機廃液タンクに捨てる。

分液ロート内は洗浄後，栓がとれなくならないように，栓のすりあわせ部分にパラフィン紙をはさんでおく。

> 以降の操作で使用するガラス器具は，乾燥させたものを用いるので，実験の最初に，洗浄し乾燥器に入れておく。

（6）　（5）のクロロホルム溶液の表面に浮いている水玉がなくなるまで，無水硫酸ナトリウムを少量ずつ手でゆすってかき混ぜながら加える（加えた際の変化を観察）。

ひだ付ろ紙（p.113 **ひだ付ろ紙の折り方** 参照　150 mm ろ紙使用）を用い，ろ過する[4]（p.25 **3.2 ろ過** 参照）。受器には，乾燥したビーカー(100 mL)を用いる。

さらに，新しいクロロホルム 10 mL をろ紙上の沈殿に注ぎ，ろ液と合わせる。

使用済みのろ紙は，クロロホルムを含んでいるので，試薬台上の回収容器に捨てる。

> 4）ひだ付ろ紙，ロート，ビーカーは決して水でぬらさないように注意する。

〈溶媒の除去〉

（7）　図5－2およびp.114「蒸留装置の組み立て方」を熟読し，蒸留装置を組み立てる。ナス形フラスコに，（6）で脱水したクロロホルム溶液および沸騰石3～4粒を入れ，常圧蒸留により溶液中のクロロホルムを留去する[5]。30 秒ごとに温度を読みとる。その際，実験室の気圧も記録する。ナス形フラスコの底に白色粉末が見え，液がなくなったら，加熱をやめる。

　　　このクロロホルムは有機廃液タンクに捨てる。

　　　　　　5）カフェインが昇華し収量をロスすることがあるので，火力に注意する。

（8）　カフェインの粗結晶が残ったナス形フラスコは，粗結晶の様子をスケッチ後，そのまま次回の実験のために保存する。

　　　コルク栓をして，実験日，学科名，班番号などを記入したラベルを貼付しておく。

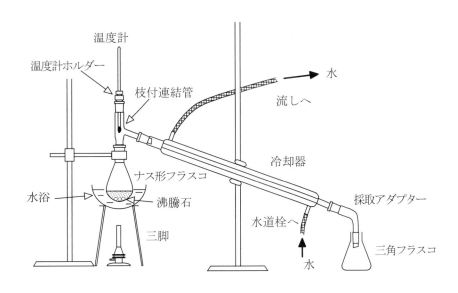

図5－2　常圧蒸留装置

［ 廃棄物処理 ］

　　茶葉・吸引ろ過時のろ紙　　　　　　→　水切りカゴ（流し）

　　廃液（分液ロート，三角フラスコ内）　→　有機廃液タンク（教壇脇）

　　薬品のついたゴミ　　　　　　　　　→　緑色ポリバケツ（教壇脇）

　　無水硫酸ナトリウムの入ったひだ付ろ紙

　　　　　　　　　　　　　　　　　　　→　白色ポリバケツ（窓側コンクリート台）

《 実 験 2 》〈2回目〉

[目　的]

　1回目で抽出したカフェインの粗結晶を純粋なカフェインにするため精製し，その結晶がカフェインであるかどうかを同定する。

[原　理]

　純粋な結晶を得るためには，最適な溶媒による再結晶が行われることが多いが，物質によっては昇華法によることもある。カフェインの場合は後者が有効な手段である。得られた結晶がカフェインであるかどうかを薄層クロマトグラフ法により同定する。

[器　具]

　フラスコ台，蒸発皿，時計皿 2，ロート(小)，ミクロスパーテル，ルーペ，ピンセット

　展開槽，三脚，金網，バーナー，チャッカマン，保護メガネ，洗びん

　共通器具：電子天秤，紫外線ランプ，アルミホイル，シリコ栓，毛細管

[試料および試薬]

　カフェイン（標準品），5 ％メタノール／クロロホルム溶液，シリカゲル薄層板

[実験前の準備]

　乾燥が必要な器具は，実験の最初に，洗浄し乾燥器に入れておく

[実験方法]

〈精　製〉

（9）　ナス形フラスコ内の粗結晶の様子を確認し，フラスコ内の残留物にクロロホルム 1 mL を加えて溶かす。得られた溶液を時計皿に移す。沸騰石はピンセットで取り除き，緑色ポリバケツに捨てる。

（10）　ドラフト内に放置[6] し，クロロホルムを蒸発させると，カフェインの粗結晶が得られる。

　　粗結晶の状態をルーペで観察しスケッチした後，時計皿からこの結晶をミクロスパーテルで薬包紙にかき取り，質量をはかる。

　　　　6）クロロホルムのような有害な溶媒を蒸発させるときには，その物質を実験室内に拡散させないような工夫が必要である。

(11)　アルミホイルをしき，得られた結晶（粗結
　　　晶）を，中央部分に平らに広げてのせる。

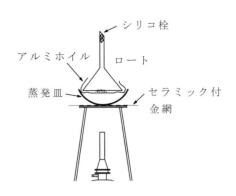

　　　　図5－3に示すように乾いたロートをかぶ
　　　せ，アルミホイルでロートをおおう。

　　　　蒸発皿にのせ，金網上でゆるやかに加熱す
　　　ると，ロートの内側にカフェインの針状結晶
　　　が析出する。ゆっくり放冷した後，得られた
　　　精製品の状態をルーペで観察しスケッチする。

図5－3　昇華法

　　ロートからこの結晶をミクロスパーテルで薬包紙にかき取り，質量をはかる。

　　　　アルミホイル上の様子を観察する。

〈薄層クロマトグラフ法による同定〉

(12)　シリカゲル薄層板[7]の下から 2 cm のところに，シリカゲルがはがれないように注
　　　意しながらスタートラインを鉛筆で引く[8]。

　　　　上端には班番号および抽出物・標準品の区別を記入しておく（図5－5）。

　　　　　　　7）シリカゲルがはがれたり，これからスポットする試料以外のものが付着したり
　　　　　　　　　すると，正確な結果が得られなくなる。そのため，薄層板の表面にはさわらな
　　　　　　　　　いように注意する。
　　　　　　　8）ボールペンで記入するとインクが展開されるので，鉛筆で行う。

(13)　(11)でかき取った結晶を時計皿に移し，1 mL のクロロホルムに溶かす。この溶液
　　　を薄層板のスタートライン（原点の位置）上に毛細管を用いてスポットする（図5－
　　　5）。標準品についても同様に行う[9]。

　　　　薄層板に紫外線ランプの光を当て，スタートラインにカフェインのスポットが存在
　　　することを確認する。

　　　　　　　9）標準品および標準品専用の毛細管がドラフトチャンバー内に用意されているの
　　　　　　　　　で，それを共通で使用する。

(14)　展開溶媒（ 5 ％メタノール／クロロホルム）の入った展開槽に薄層板を入れ，蓋を
　　　して静置する（図5－4）。

(15) 時間の経過とともに展開溶媒が上昇するので，適当な
距離（10～15 cm）に上昇したところで薄層板を取り出し，
直ちに展開溶媒の上端を鉛筆でなぞる（図5－6）。
放置し，溶媒を蒸発させ，薄層板を自然乾燥させる。

スポット点

図5－4　展開

(16) 薄層板に紫外線ランプの光を当て，スポットの位置を調べる。スポットの輪郭およ
び中心をマークし，原点との距離を測定する。
展開後の薄層板をスケッチする。

(17) 抽出物および標準品のカフェインのRf値[10]は次の式で計算する（図5－6）。

$$Rf = \frac{カフェインの移動距離（h_c）}{展開溶媒の移動距離（h_s）}$$

10）Rf値とは，Rate of flow の略であって，原点から各スポットの中心までの距離
（h_c）を，原点から展開溶媒の上端までの距離（h_s）で割った値である。Rf 値
は展開時の温度，薄層板の種類，展開溶媒の種類，展開時間などの条件を一定
にすれば，物質特有な一定の値を取る。

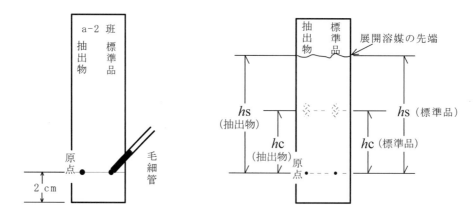

図5－5　薄層板へのスポット　　　　**図5－6　展開後の薄層板**

(18) 使用後の薄層板は教員とのディスカッション後に，赤色ポリバケツに捨てる。

［ 廃棄物処理 ］

　　　廃液（時計皿内）　　　→　有機廃液タンク（教壇脇）

　　　薬品のついたゴミ　　　→　緑色ポリバケツ（教壇脇）

　　　毛細管，薄層板　　　　→　赤色ポリバケツ

［ 結果のまとめ ］

１．各手順の詳細な観察を，スケッチなどもまじえながら記す。

２．精製した結晶の状態や様子や Rf 値などから，得られた物質がカフェインであるかどうかを
　　総合的に判定する。

［ 予習してくる項目 ］

《実験 1》

１．概説，［総合目的］および p.102 の［目的］を熟読し，＜目的＞を２～３行でまとめる。

２．概説および p.102 の［原理］を熟読し，＜原理＞の空欄を埋めて文章を完成させる。

３．［実験方法］を熟読し，自分が操作しやすいよう＜実験方法＞に文章でまとめる。
　　各操作においてどの部分にカフェインが存在しているのかがわかるように下線を引いた
　　り□で囲ったりする。

４．使用前に乾燥しておかなくてはならない器具を書き出すとともに，p.20～22 を参考に
　　して器具の形を把握しておく。

《実験 2》

１．概説，［総合目的］および p.106 の［目的］を熟読し，＜目的＞を２～３行でまとめる。

２．「知っていてほしい化学の基礎」などを参考とし，「物質の分離と精製」について
　　＜原理＞にまとめる。

３．［実験方法］を熟読し，自分が操作しやすいよう＜実験方法＞の＜精製＞と＜薄層ク
　　ロマトグラフ法＞にそれぞれ文章でまとめる。

４．使用前に乾燥しておかなくてはならない器具を書き出すとともに，p.20～22 を参考に
　　して器具の形を把握しておく。

［ 考察のポイント ］

（必須ポイント）

《実験 1》

◎茶葉からカフェインを抽出する際に，熱湯 → クロロホルムという順番でこれらの試薬を使った理由を考察せよ。

◎常圧蒸留でクロロホルムのみを留去できる理由は何か。常圧蒸留の操作中の温度変化を考慮して考察せよ。

《実験 2》

◎昇華法でカフェインが精製できる理由を考察せよ。

◎《実験 1》の実験結果を含め，《実験 2》で得られた結晶はカフェインだと判断することができるか。理由を含めて考察せよ。

◎秤量した茶葉の質量と実験で得られたカフェインの量から茶葉 100 g 中に含まれるカフェインの量を求め，この値を p.115 ［参考データ］の値と比較した場合，両者の差は，操作上のどこに原因があると考えられるか考察せよ。

（発展）

《実験 1》

・無水硫酸ナトリウムを加える理由は何か？

《実験 2》

・薄層クロマトグラフ法により同定を行ったが，今回の試料に対してこの方法が適していた理由は何か？　また，この方法の欠点は何か？

・茶を利用した飲み物がいくつか知られているが，p.115 ［参考データ］を見るとわかるように，カフェインをはじめとした成分量に微妙な違いがある。その理由をそれぞれの製法の違いと関連させて考える。

・茶の他に，カフェインを含む天然物（食品）とその含有量などを調べる。

［ レポート提出直前チェック ］

提出する前に，以下の点を再度点検しよう。

◆全体

 ・レポートは試験の答案と同じである。人に読まれること，評価されることを念頭
  に置き，ていねいに記されているか。

 ・他人と同じレポートは，原本・写本を問わず両方とも評価されない。オリジナリ
  ティーに富んだものになっているか。

◆表紙および書式

 ・記入漏れはないか（特に担当教員を忘れがち）。

 ・表紙にバーコードは貼ってあるか。

 ・レポートは上部2カ所を止めているか。

   ——　**表紙不備のレポートは受理されない**　——

 ・p.15 の項目はすべてあるか。

   ——　**考察のないレポートはレポートにあらず**　——

◆**こんなレポートは提出しても評価されない**

 ・結果，観察状況を詳しく記していない。

 ・［考察のポイント］の中の必須ポイントを検討していない。

分液ロートの使用法

　分液ロートは，混ざり合わない２液層を分けるときに用いる器具で，溶媒を精製するときや，溶液から目的物を溶媒で抽出するときなどに用いられる。

① 　分液ロートを分液ロート台に静置し，下のコックを閉じる。

② 　試料水溶液と有機溶媒（ここではクロロホルム）を入れる。

③ 　栓をして（分液ロート上部の空気穴と栓のスリットをずらし，空気穴も閉める）
　　分液ロートを逆さにし，コックを開いて，内部の圧力を常圧に戻す。再びコック
　　を閉じる。

④ 　栓をしっかり押さえ２回ほどゆるやかに振り，コックを開いてロート内のガスを
　　抜く。さらに15回ほどゆるやかに振る。

⑤ 　最後にもう一度ガス抜きをし，コックが閉じていることを確認した後，元に戻し
　　分液ロート台に静置する。

　　静置の際，上部の空気穴と栓のスリットを合わせ，内部の圧力が上がらないよう
　　にしておく。

⑥ 　上層と下層が完全に分離したら，コックを開いて下層（クロロホルム層）をビー
　　カーに受ける。

　　この操作により，特定な成分を有機溶媒に取り出すことができる。

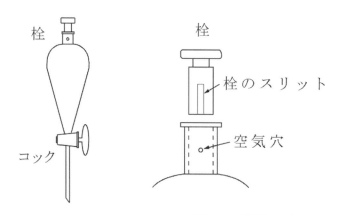
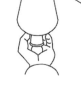

図5－7　分液ロート

ひだ付ろ紙の折り方

　ひだ付ろ紙は，円形ろ紙を16〜32等分に折ったもので，ろ過速度が大きくなるため有機溶媒を扱う場合にはよく使用される。

　その折り方を以下に示す。ろ紙を折る前にはよく手を洗い，薬品や体の汗・油分などの不純物がろ紙に付かないように注意する。

①　ろ紙を2つに折る。

②　さらに2つ折りにし4等分にする。

③　①の状態まで開いた後，8等分の折り目を付ける（谷折り）。

④　①の状態まで開いた後，16等分の折り目を付ける（谷折り）。

⑤　16等分の状態。

⑥　①の状態まで開いた後，32等分の折り目を付ける。このとき，折り目は今までの折り目と逆の折り目を付ける（山折り）。

⑦　32等分の状態で，扇を閉じた形にし，折り目を強く付ける。

⑧　⑦を広げてできあがり。

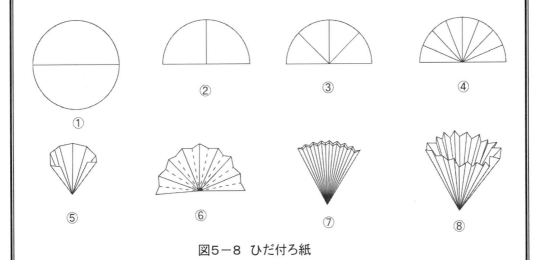

図5−8　ひだ付ろ紙

蒸留装置の組み立て方

　蒸留装置は，混合溶液からある成分を取り出すときに用いられる。その組み立て手順を以下に示す。

① 　バーナーおよび水道の位置を考慮してスタンドを置く。

② 　水浴に水道水を入れ，三脚にのせる。

③ 　ナス型フラスコを，水浴の高さを考慮した上で，スタンドで固定する。このとき，ナス型フラスコ内の試料溶液の液面が水浴の液面より下になるようにする。

④ 　枝付連結管をナス型フラスコと接続する。

⑤ 　ゴム管をつないだ冷却器を枝付連結管につなぎ，別のスタンドで固定する。

⑥ 　採取アダプターを冷却器につなぎ，その先に三角フラスコを置く。このとき，全てが歪み無くセットできるように，高さ調節をする。

⑦ 　全体を確認し，ジョイント用クランプで止める。

⑧ 　温度計を枝付連結管につなげる。

⑨ 　一方のゴム管を水道栓につなぎ，もう一方を流しに伸ばす。水道栓をゆっくりと開け，冷却器に水を流す。

⑩ 　ナス形フラスコの中に乾いたロートを使って試料溶液（ここでは(6)で得られたクロロホルム溶液）と沸騰石3〜4粒を入れる。

⑪ 　バーナーに火をつける。

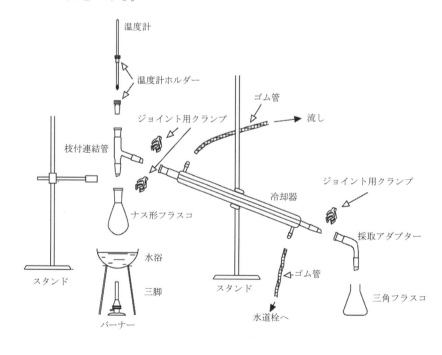

Ⅲ 参 考

[参考書]

"化学実験操作書"，化学実験研究会 編，広川書店

"化学実験操作法"，緒方 章 他，南江堂

"実験化学講座 基本操作"，日本化学会 編，丸善

"実験化学講座 続2 分離と精製"，日本化学会 編，丸善

"化学実験全書"，大塚 明郎，東陽出版

"分析化学"，長島 弘三 他，裳華房

"分析化学"，荒木 峻 他訳，東京化学同人

[参考データ]

表　し好飲料中の成分（可食部 100 g 当たり）

		せん茶	抹茶	紅茶
カフェイン	(g)	2.3	3.2	2.9
タンニン	(g)	13.0	10.0	11.0
タンパク質	(g)	24.5	29.6	20.3
脂質	(g)	4.7	5.3	2.5
炭水化物	(g)	47.7	39.5	51.7
繊維	(g)	46.5	38.5	38.1
灰分	(g)	5.0	7.4	5.4
ナトリウム	(mg)	3	6	3
カリウム	(mg)	2,200	2,700	2,000
ビタミンA	(mg)	13	29	0.9
ビタミンB$_1$	(mg)	0.36	0.60	0.10
ビタミンB$_2$	(mg)	1.43	1.35	0.80
ビタミンC	(mg)	260	60	0
ナイアシン	(mg)	4.1	4.0	10.0

資料：「日本食品成分表」科学技術庁資源調査会編（2015）

6 食用色素の分離・同定

Ⅰ. 概　説

　食品の色は，その原材料である動植物に含まれる天然物色素と，製造や加工の過程において食品成分の間で起こる反応により形成される色素による。食品は後者の反応により，本来の色調が退色したり変色することが多く，食品としての外観を損なうことになる。

　食品の人工着色は，美しい，美味しい，涼しげななど人間の視覚を通して食欲をそそり，購買意欲をかき立てるので商品価値を高める効能がある。着色料には天然着色料と合成着色料がある。

　食品添加物としての合成着色料（食用色素）には，より強い発色とより安価であることから合成タール色素が数多く使われるようになった。しかしタール色素は人体に対する有害性が指摘され，現在では，食品への添加が許可されているのは 12 種類* のみである。市販食品のほとんどが着色されており，特にカラフルな食品には数種類のタール色素が配合されている。

> 　　　　*：食用赤色2号，3号，40号，102号，104号，105号，106号
> 　　　　　食用黄色4号，5号
> 　　　　　食用緑色3号
> 　　　　　食用青色1号，2号

Ⅱ. 実　験

［目　的］

　食品中に配合されている各食用色素をろ紙電気泳動法により分離し，標準色素との同定を行う。なお，標準色素にはかつては紅生姜や梅干しの着色に使われていたが現在では使用禁止になった色素ローダミンBも含めた。

　実験1では，電気泳動するための試料として，市販の着色した食品（チョコレート）から色素を抽出する。

　実験2では，標準色素溶液（赤色3号，黄色4号，黄色5号，青色1号，ローダミンB）および抽出試料溶液（3種類）の電気泳動を行い，食品中の色素を分離し，同定する。

［原　理］

　水溶液中で電気を帯びた分子（イオン）の溶液に電場をかけると，陽イオンは（－）極

へ，陰イオンは（＋）極へ移動する。この現象を**電気泳動**という。このときの各イオンの移動速度は電解質溶液の pH，温度，電場の強さなどの外的要因ばかりでなく，イオンの荷電の大小，イオンの形などの内的要因によって決まり，それにともない移動距離も異なってくる。ろ紙電気泳動法は，電解質溶液の保持体としてろ紙を用いてイオンを分離する方法である。電解質溶液を十分湿らせたろ紙にサンプルを付け，ろ紙の両端に直流電圧をかけることで，数種類のイオンを含んだ水溶液から各イオンを分離する方法であり，イオンの移動・分離の状況をろ紙上で観測することができる。

　ここで用いる赤色 3 号，黄色 4 号，黄色 5 号および青色 1 号はすべて有機複素環低分子化合物（p.124 参照）で，いずれもナトリウム塩であるから，水に溶けると Na^+ を放出して色素自身は陰イオンとなる。一方，ローダミン B は水に溶けると陽イオンになる。これらの試料は構造性の差異により，移動方向および移動距離が異なっている。

［ 器　具 ］

　　定電圧装置，ろ紙電気泳動装置，導線 2，ビーカー(500 mL)，

　　メスシリンダー(200 mL)，結晶皿，三角フラスコ(30 mL) 3，ビーカー(10 mL) 3，

　　メートルグラス(10 mL)，三脚，金網，バーナー，ルツボバサミ，ガラス棒

　　共通器具：ろ紙（No.50，2 cm×40 cm），毛細管，ガラス板，下敷き用ろ紙

　　貸し出し器具：ストップウォッチ

［ 試料および試薬 ］

　　食用赤色 3 号（エリスロシン），食用黄色 4 号（タートラジン），

　　食用黄色 5 号（サンセットイエロー），食用青色 1 号（ブリリアントブルー），

　　ローダミン B，チョコレート，2 M-酢酸（CH_3COOH）

［ 実験方法 ］

《 実 験 1　食品からの色素の抽出 》

（1）　チョコレート各色（赤色，黄色，黄緑色，オレンジ，ピンクより 3 色を選択）を 7 個ずつ別々の三角フラスコ(30 mL)に入れ，水 5 mL を加え，ゆるやかに振り混ぜる。

（2）　チョコレートの表面の色素層のみ溶解し[1]，白い糖のコーティングが見えてきたら，溶液をデカンテーション法（Ⅱ編の **3.4 デカンテーション**(p.26)参照）によりビーカー(10 mL)に移す。

　　　　　1）中身の糖およびチョコレートは溶解させないようにする。

（3）　三角フラスコに残ったチョコレートは各実験台の流しの水切りカゴに捨てる。

（4）　チョコレート7個の抽出による色素の濃度では試料とするには薄いので，再度抽出する。すなわち，三角フラスコを洗浄後，ここに（2）のビーカーの液を移し，新たに同じ色のチョコレート7個を入れて色素を抽出し，再びビーカーに移す。

（5）　（4）の色素溶液を 1 mL くらいになるまで蒸発濃縮し，試料溶液とする。

《 実 験 2　　電気泳動による色素の分離・同定 》

（6）　ろ紙を8枚用意し，柔らかい鉛筆で中心部にスタートライン（試料をつける位置），両端に電極と同じ（＋），（－），さらに余白に実験日，試料名，班番号などを記入する（図6－1）。このとき，ろ紙には折り目を付けず，また汚さないように取り扱う[2]。

　　　　2）教壇脇の下敷き用ろ紙を用いるとよい。使用後は元の場所へ返却する。

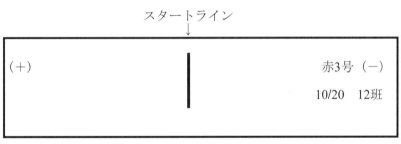

図6－1　泳動用ろ紙

（7）　図6－2のように泳動装置を組立て，定電圧装置に接続する。

　　泳動装置はプラスチック製で傷がつきやすいので，洗浄する際には，クレンザーやブラシを使ってのこすり洗いはさける。また，加熱乾燥もしてはいけない。

　　付着している水はキムタオル（試薬台上にある）で拭き取る。

（8）　電解質溶液としての 2 M-CH_3COOH をビーカー（500 mL）に 500 mL とってきて，各電解質溶液槽に 200 mL ずつ入れる。

（9）　結晶皿に 2 M-CH_3COOH 約 100 mL を入れ，ろ紙をこれに浸し，装置に水平にたるみのないように，8枚を等間隔で張る。

　　（ろ紙上の余分な液は別のろ紙などで吸い取る。）

（10）　装置にカバー[3]をして，定電圧（800V）（**定電圧装置の使い方** 参照）で電流を5分間通じ（予備通電），ろ紙に電解質溶液が均一にしみわたるようにする。

　　この間の電流値を確認する（電流値がゼロの場合，通電していないため電源を切り，配線を確認する。それでも通電しない場合は教員へ報告する）。

3) カバーをする前に，カバーについた水滴をキムワイプで吸い取っておく。また，カバーをしたときカバーがろ紙につかないように注意する。

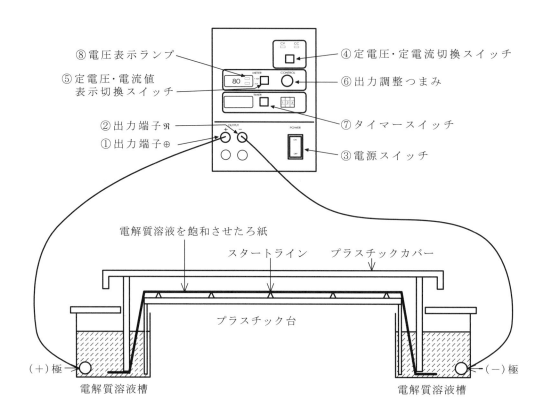

図6−2　ろ紙電気泳動装置

(11)　一度電源スイッチを OFF にする。ガラス毛細管を用いてスタートラインに，試料（**標準色素溶液5種**および**抽出試料溶液3種**）をスポットする[4]。

　　　4)　直径 5 mm を越えないようにする。

　　　　　抽出液については，色がうすいので2〜3回スポットするとよい。

　　　　　使用済みのガラス毛細管は赤色ポリバケツに捨てる。

(12)　再びカバー[3]をして所定の電圧(800 V)で通電させ，泳動を開始する。

　　　はじめの電圧，電流，時刻などを記録する。

(13)　5分毎に電圧，電流，移動距離，色を記録し，分離状況を観察する[5]。

　　　5)　観察する場合，泳動装置の電極にふれないように注意すること。

(14)　30〜40分間泳動した後，電圧，電流，時刻を記録し，電源を OFF にする。あらかじめ，ドラフトチャンバー内の乾燥器で加熱してあるガラス板を持ってくる。

(15)　電源が OFF であることを確認，電源コードを抜いてから，ろ紙をはずし，加熱したガラス板上に速やかに並べる。これを再び乾燥器内で加熱乾燥(80 〜 100℃)する。

(16)　乾燥したろ紙上の各泳動スポットの輪郭を鉛筆で描き，各スポットの状態をスケッチする。

(17)　各スポットについて，スポットの中心点を鉛筆で印し，スタートラインから中心点までの移動距離を測定し，同定を行う。

(18)　泳動装置は洗浄後，キムタオルで水をふきとり，箱に収納する。

［ 廃棄物処理 ］

　　廃液（2 M 酢酸）　→　無機廃液タンク（教壇脇）

　　使用したキムタオル　→　回収ボックス（教壇脇）

　　泳動用ろ紙　→　教壇でディスカッション後，不要の場合緑色ポリバケツ（教壇脇）

　　使用済みのガラス毛細管　→　赤色ポリバケツ

定電圧装置の使い方

　準備操作

1．電源スイッチ③が OFF になっているのを確認した後，本体背面より出ている電源コードをコンセントに接続する。

2．リード線の赤を出力端子（+）①に，黒を出力端子（-）②に接続し，それぞれの他端子を泳動糟の＋・-入力端子に接続する。

3．出力調整つまみ⑥を左（反時計方向）に止まるまで回す（ゼロの位置）。

4．タイマースイッチ⑦がOFFになっていることを確認する。

　使用方法（配線確認後）

5．電源スイッチ③をONにする。

6．定電圧・電流値表示切換スイッチ⑤を，電圧側（⑧点灯）にする。

7．定電圧・定電流切換スイッチ④を定電圧側（CVランプ点灯）にする。

8．出力調整つまみ⑥で，表示が80になるように調整する(表示が×10Vなので，800Vとなる)。

9．必要に応じ，定電圧・電流値表示切換スイッチ⑤を押し，電流値を測定する。

※使用後は，必ず出力調整つまみ⑥をゼロの位置に戻してから電源スイッチ③を押し，電源が切れたことを確認した後，電源コードを抜くこと。

［ 予習してくる項目 ］

1．概説および［目的］を熟読し，＜目的＞を簡潔にまとめる。

2．［原理］を熟読し，＜原理＞の空欄を埋めて文章を完成させる。

3．［実験方法］を熟読し，自分が操作しやすいようにまとめる。

4．実験で得られるデータを記入する表および図のタイトルを記入し，表の(　　)には単
　位を入れる。

［ 考察のポイント ］

　（必須ポイント）

　◎チョコレートより抽出した色素と標準色素の色および泳動距離を根拠として，チョコ
　　レートの各色にどの標準色素が含まれているのか同定せよ。

　（発展）

　・色素の構造式(p.124) より移動方向，移動距離の長さを推定し，実験結果と比較せよ。

　・泳動中に発生する熱は色素の移動にどのような影響をおよぼすか。

　・H^+とOH^-がそれぞれの極へ移動すると(＋)極と(－)極の電解質溶液の pH はそれぞれ
　　どのように変化すると考えられるか。

　・他にどのような色素が食用として認められているか。

［　レポート提出直前チェック　］

提出する前に，以下の点を再度点検し，確認したら □ に レ を記入しよう。

◆全体

□　レポートは試験の答案と同じである。人に読まれること，評価されることを念頭に
　　置き，ていねいに記されているか。

□　他人と同じレポートは，原本・写本を問わず両方とも評価されない。オリジナリ
　　ティーに富んだものになっているか。

◆表紙および書式

□　記入漏れはないか（特に担当教員を忘れがち）。

□　表紙にバーコードは貼ってあるか。

□　レポートは上部2カ所を止めているか。

────　　**表紙不備のレポートは受理されない**　────

□　p.15 の項目（目的，原理，実験方法，結果，考察）はすべてあるか。

────　　**考察のないレポートはレポートにあらず**　────

◆**次の項目は特に重要。これがないとレポート提出しても評価されない**

□　結果をきちんと記しているか。

□　［考察のポイント］の中の必須ポイントを検討しているか。

【　参考書　】

"食品添加物公定書解説書（8 版）"，谷村　顕雄　他監修，廣川書店，(2007)。

"改訂　食品分析ハンドブック"，小原 他監修，建帛社，(1984)。

"環境科学辞典"，荒木　他編集，東京化学同人，(1985)。

食用赤色 3 号
Erythrosine

食用黄色 4 号
Tartrazine

食用黄色 5 号
Sunset Yellow FCF

食用青色 1 号
Brilliant Blue FCF

ローダミン B
Rhodamine B

食用色素およびローダミン B の構造式

7 DNA の抽出と電気泳動による確認

I. 概 説

　生物の性質や形が子孫に伝わる現象を遺伝と呼ぶ。遺伝をつかさどる物質はデオキシリボ核酸（DNA: deoxyribonucleic acid）と呼ばれる高分子化合物であり，動物や植物など真核生物の細胞では，個々の細胞内にある核の中に納められている。

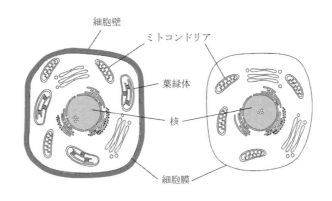

植物細胞　　　　　　　　　　動物細胞

図7－1　細胞の図

　DNA は，4種類の塩基（アデニン：A，チミン：T，グアニン：G，シトシン：C），糖（デオキシリボース）およびリン酸で構成される化合物（ヌクレオチド）が直線状に結合して細長いひも状となった高分子である。通常は2本の DNA が塩基の部分で水素結合し，ねじれた二重らせん構造をとっている。ヒトの1つの細胞中には合計すると約2 m の長さの DNA が含まれている。

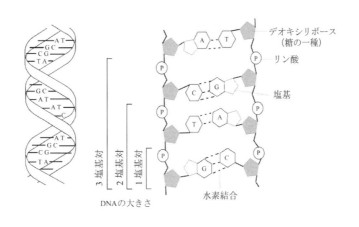

図7－2　DNA の構造

DNA に含まれる遺伝情報はタンパク質を作る際のアミノ酸を結合する順序であり，1 つのタンパク質を合成するための遺伝情報を含む DNA 部分を遺伝子と呼ぶ。遺伝子の数は生物の種類によって異なり，ヒトでは約 31,000，ショウジョウバエでは約 14,000，大腸菌では約 4,000 といわれている。

Ⅱ. 実 験

［ 目 的 ］

　動物（ブタ）および植物（ブロッコリー）より DNA を抽出し，その形状をそれぞれ観察する。抽出物から電気泳動により DNA を分離し，動物および植物に DNA が存在することを確認する。

［ 原 理 ］

　本実験では，乳鉢と乳棒により細胞を機械的に破壊し，ドデシル硫酸ナトリウムによって膜を可溶化した後に，エタノール中での塩析によって DNA を析出させ，細胞から DNA を抽出する。

　抽出物に DNA が含まれているかどうかを確かめるために電気泳動を行う。本実験で行うアガロースゲル電気泳動では，アガロースゲルのウェル（穴）に DNA を含む溶液を入れてゲルの両端から電圧をかける。DNA 分子は電荷を帯びた荷電粒子であるため，荷電とは反対の電極の方向へとアガロースゲル中を移動する。アガロースゲルは目の細かい繊維からできているため，大きい分子は編み目に引っかかりやすいのでゆっくりと移動し，小さい分子は編み目を通りやすいので素早く移動する。これにより大きい分子である DNA はウェルの近くへ，DNA 以外の核酸などの小さい分子はウェルからより離れた位置へとそれぞれ分離される。

　アガロースゲル中には，DNA やその他の核酸と特異的に結合し紫外線を照射すると赤色の蛍光を発するゲルレッドと呼ばれる染色剤を混合してあるため，電気泳動後のアガロースゲルに紫外線を照射することで DNA の存在を肉眼で直接確認することができる。

　ブロッコリー，小松菜およびブタの核に含まれる DNA の総延長はそれぞれ 6×10^8 塩基対，5×10^8 塩基対および 28×10^8 塩基対であり，実際には数本の染色体に分かれて存在している。細胞から DNA を抽出する過程で DNA はランダムに切断されて小さくなるが，それでも数万塩基対から数十万塩基対の大きさを持っているため，通常のアガロースゲル電気泳動では個別の DNA に分離することができない。そのため，抽出した DNA をアガロースゲル電気泳動にかけると，DNA は約 20,000 塩基対ほどの大きさを持った見かけ上均一な 1 本のバンドとして検出される。

［ 器　具 ］

　乳鉢，乳棒，オートピペット（5-50 μL 用），オートピペット（20-200 μL 用），

　ピペットチップ 1 箱，ビーカー（10 mL），ビーカー（100 mL）2，ビーカー（200 mL），

　メートルグラス（20 mL）2，電気泳動装置，試験管立て，チューブラック，茶こし

　共通器具：遠心機，ゲル撮影装置，電子天秤，竹串，マイクロチューブ，ラップ，

　　　　　　はさみ，糊，油性ペン，秤量皿，ビニール手袋，ゲルトレイ

［ 試料および試薬 ］

　植物試料（ブロッコリー），動物試料（ブタのレバー抽出物），

　10%ドデシル硫酸ナトリウム水溶液（10%-SDS），2 M 塩化ナトリウム水溶液

　（2 M-NaCl），エタノール，色素入り TE 緩衝溶液（pH7.8），DNA サイズマーカー，

　アガロースゲル，電気泳動用緩衝溶液（電気泳動槽に入れてある）

［ 実験方法 ］

〈植物試料からの DNA の抽出〉

（1）　秤量皿を用いてブロッコリーの花芽 約 5 g をはかりとり，乳鉢に入れる。

（2）　ビーカー（100 mL）に 2 M-NaCl 20 mL をとる。

（3）　メートルグラスを用いて乳鉢に（2）の 2 M-NaCl 10 mL を加え，植物の原型がな
　　　くなるまで乳棒でよくすりつぶす。

（4）　乳鉢に 2 M-NaCl 10 mL を追加し，乳棒でよくすりつぶす。

（5）　メートルグラスを用いて 10%-ドデシル硫酸ナトリウム水溶液（10%-SDS）4 mL を
　　　乳鉢に加え，乳棒で約 3 分間かき混ぜる。

（6）　ビーカー（200 mL）に茶こしをのせ，ろ過する。

（7）　メートルグラスにろ液 10 mL をはかりとり，ビーカー（100 mL）に移す。ここに
　　　メートルグラスを用いてエタノール 20 mL をビーカーの内壁を伝わるように静かに
　　　加える。

（8）　ビーカーを静置して DNA を析出させる[1]。DNA の量が多い場合には DNA は白色
　　　の繊維状の沈殿として析出する。DNA の量が少ないときには白濁した懸濁液となる。
　　　　　1）DNA は激しく混合すると切れてしまうのでゆるやかに混ぜる。

〈動物試料からの DNA の抽出〉

（9）　動物試料については，（1）から（6）までの操作を済ませた抽出液を用意してあるので[2]，これを駒込ピペットを用いてビーカー（10 mL）に 1 mL 取り，エタノール 2 mL を静かに加えてゆるやかによく混合し，沈殿を析出させる。

　　　　　2）動物試料はタンパク質を多く含むため，上記（4）と（5）の操作の間で 95 ℃で 10 分間加熱し，タンパク質を変性・沈澱させ，ろ過してある。

〈DNA の沈殿の乾燥〉

（10）　竹串で DNA の沈殿をそれぞれ少量巻き取り[3]，竹串の先端が上になるようにチューブラックに立てて 5 分間自然乾燥させる[4]。

　　　　　3）植物試料の沈殿は約 2 mm，動物試料の沈殿は約 1 mm を巻き取る。巻き取りすぎないように注意する。

　　　　　4）乾燥にともなって沈殿は小さくなる。エタノールの乾燥が不十分だと，後の操作で行う電気泳動の際に試料溶液をアガロースゲルのウェルに入れにくくなる。

（11）　DNA の量が少なく，白濁した懸濁液となった試料については遠心機による DNA の分離を行う（p.132 **遠心機による DNA の分離** 参照）。

〈電気泳動〉

（12）　マイクロチューブ（図 7−3）を 2 本用意し[5]，蓋に油性ペンで 試料名を記入する。オートピペット（20-200 μL 用）を用いてそれぞれのチューブに色素入り TE 緩衝溶液 100 μL を入れる（p.133 **オートピペットの使用法** 参照）。

　　　　　5）DNA の沈殿を遠心機により分離した試料については，ここで新しくマイクロチューブを用意する必要はない。

（13）　（10）の操作で乾燥させた DNA の沈殿がついた竹串の先を，（12）の操作で準備したマイクロチューブの中に 5 分間つける。その後 1 分間竹串を回転させ，竹串の先についた DNA の沈殿を溶解する。この際に溶け残る浮遊物も共存する。

ふた

図7−3　マイクロチューブ

(14) ビニール手袋を両手にはめ，各班１枚のアガロースゲルを持ってくる[6]。アガロースゲルはもろくて壊れやすいためにプラスチックの型枠の中に入っている（図７−４）。アガロースゲルを持つ際は型枠を水平に保ち運ぶようにする。

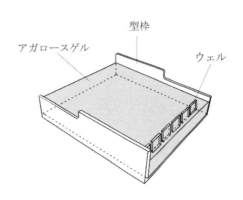

図7−4　アガロースゲルと型枠

　　6）アガロースゲル中には，DNA の染色剤としてゲルレッドが加えてある。ゲルレッドには変異原性が若干あるので，素手で触れてはならない。

(15) 電気泳動槽内に既に入れてある泳動用緩衝溶液中にアガロースゲルを型枠ごと入れる。このときアガロースゲルのウェルのある側を電気泳動槽のマイナス極側になるようにする（図７−５参照）。

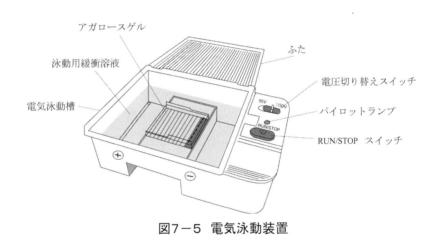

図7−5　電気泳動装置

(16) 氷箱の中からチューブに入った DNA サイズマーカーを持ってくる。オートピペット（5-50 μL 用）を用いて，アガロースゲルの左端のウェルに，試料の DNA 溶液を 10 μL 入れる[7]（図７−６参照）。次にピペットのチップを新しいものに交換してから，別の試料溶液を 10 μL 取り，隣のウェルに間を空けずにつめて順次入れていく。ピペットのチップは試料ごとに実験台上のチップ捨て用ビーカーに捨て，新しいものに交換する。どのウェルに何の試料を入れたかメモを取りながら操作を進める（図７−６参照）。試料の DNA 溶液をすべてウェルに入れ終わったら，DNA サイズマーカーを 10 μL 入れる。DNA サイズマーカーの入っていたチューブは氷箱に返却する。

　　7）もし試料がウェルから浮き上がってくるときは，試料溶液中にエタノールが残っている。このようなときは，試料溶液にさらに色素入り TE 緩衝溶液 100 μL を追加して混合し，希釈したものを用いる。

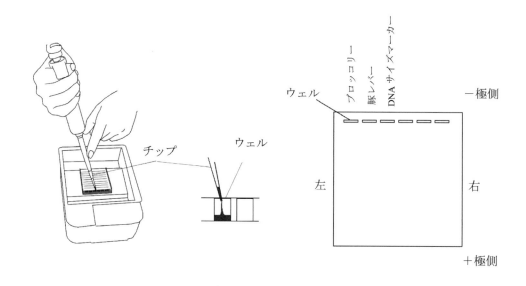

図7−6 電気泳動用試料のウェルへの入れ方

(17)　電気泳動槽の蓋を閉め，電圧切り替えスイッチが 100 V になっていることを確認した後に，RUN/STOP スイッチを押す。パイロットランプが点灯したことを確認する。

(18)　電気泳動を行っている間に植物試料および動物試料の DNA の沈殿を観察し，スケッチを行う。

(19)　時間の経過とともに色素入り TE 緩衝溶液中の青色の色素がプラス極の方向へと移動するので，この色素がゲルの中心付近まで移動したところで，RUN/STOP スイッチを押し，パイロットランプを消し，泳動を停止する。

(20)　前もってラップを約 30 cm の長さに切り，気泡やしわが入らないようにようにゲルトレイの上に貼り付ける。両手にビニール手袋をして電気泳動槽の中のアガロースゲルを型枠ごとラップの上に取り出す。このとき余分な液は電気泳動槽の中に戻すようにする。実験台上に電気泳動用緩衝液をこぼしたときは教員に連絡する。

(21)　アガロースゲルを型枠からラップの上に押し出す。アガロースゲルの型枠は白色トレイにのせて，ゲルを持ってきたワゴンに戻す。

(22)　ゲルをのせたゲルトレイをゲル撮影装置の中に入れ，紫外線を照射した状態で写真を撮影する。アガロースゲルはもろく割れやすいので運搬時に落とさないように細心の注意をはらう。ゲルの撮影は教員が行う。

(23)　プリントアウトされたゲルの写真を，各自1枚持っていく。

(24)　既知の DNA の電気泳動の例（図7－7）を参考にして，DNA の存在を確認する。DNA サイズマーカーとの比較により，それぞれの試料の DNA のおおよその大きさ（塩基対の数）を推定する。

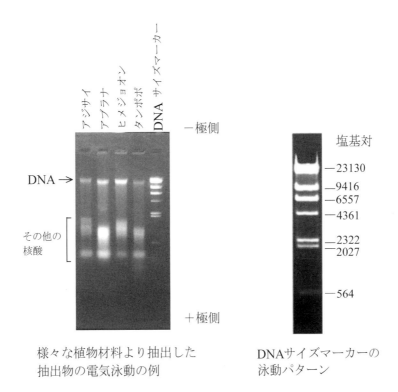

様々な植物材料より抽出した
抽出物の電気泳動の例

DNAサイズマーカーの
泳動パターン

図7－7　電気泳動の例

［ 廃棄物処理 ］

不溶物（茶こし）	→	水切りカゴ（流し）
(7)で残ったろ液	→	方法(18)終了後に回収用ポリビーカー（試薬台上）
使用済み竹串	→	回収用ポリビーカー（試薬台上）
使用済みビニール手袋	→	緑色ポリバケツ(教壇脇)
DNA 沈殿入り溶液	→	観察スケッチ後に有機廃液タンク(教壇脇)

ラップで包んだアガロースゲル，マイクロチューブ，チップ

→　白色ポリバケツ（試薬台上）

遠心機によるDNAの分離

① マイクロチューブの蓋に油性ペンで印を付ける。

② エタノールを加えてよく混合したDNA 抽出液 1 mLをマイクロチューブに入れる。遠心操作の際にはバランスを取るために偶数本のチューブを回転軸に対して対象に入れる必要があるので，奇数本のチューブの遠心操作を行うときには，他班のチューブと合同で行うか，純水を入れたチューブをバランスに用いる。

③ 遠心機のローターにマイクロチューブを入れ，遠心機の蓋を閉め，スイッチをオンにし，1分間の遠心を行う。

④ 回転が停止したら，OPEN/CLOSE ボタンを押して蓋を開け，チューブを取り出す。

⑤ オートピペット（20-200 μL用）を用いて液体を吸い出し，エタノール廃液タンクに捨てる(p.133 **オートピペットの使用法** 参照)。この際，チューブの底に付着したDNA の沈殿を吸い上げないように注意する。

⑥ チューブの蓋を開けたまま5分間静置して DNA の沈殿を自然乾燥させる。

⑦ オートピペット（20-200 μL用）を用いてマイクロチューブに色素入りTE緩衝溶液 100 μLを入れる。

⑧ 蓋を閉め，マイクロチューブの底を指で軽くはじいて DNA の沈殿を溶解する。

⑨ 実験操作（14）に戻り実験を進める。

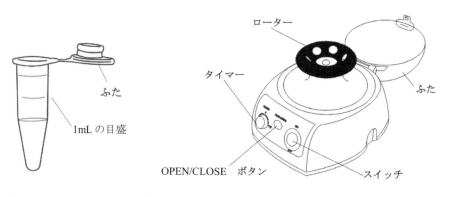

ふた

1mL の目盛

図7−3 マイクロチューブ

ローター

タイマー

ふた

OPEN/CLOSE ボタン

スイッチ

図7−8 遠心機

オートピペットの使用法

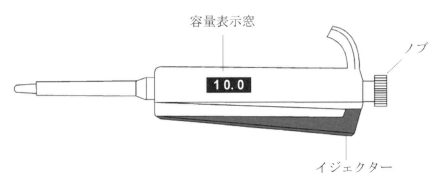

容量表示窓

ノブ

10.0

イジェクター

図7−9　オートピペット

① 　オートピペットは，5 μL から 50 μL の範囲で使用するもの（黄色）は10 μL に，20 μL から 200 μL の範囲で使用するもの（赤色）は 100 μL に設定してあるので，容量表示窓で確認する（たとえば，上図のピペットの設定は 10 μL である）。

② 　オートピペットの先をチップに差し込み，チップを固定する[8]。

　　　　8）チップは直接素手で触れてはいけない。

③ 　オートピペットのノブを軽く止まるところ（一段階目）まで押した状態で，チップの先を試料溶液に入れる。

　　ゆっくりとノブを押す力をゆるめて試料を吸い込む[9]。

　　　　9）ノブを押す力を急にゆるめると，試料がピペットの内部に吸い込まれてしまうことがある。試料を吸い込んでしまったら教員に申し出る。

④ 　試料を排出する際には，チップの先をマイクロチューブに入れてオートピペットのノブを二段階目まで押し，試料を押し出す。電気泳動を行う際には，チップの先をアガロースゲルのウェルに少し入れた状態で静かに試料を押し出す。

⑤ 　別の試料を取るときには，チップを交換する。

　　チップの交換の際には，チップ捨て容器の上にオートピペットをかざし，オートピペットのイジェクターを押してチップを容器の中に捨てる。

［　結果のまとめ　］

1．各手順の詳細な観察を，スケッチなどをまじえながら記す。

2．電気泳動後のゲルの写真上で抽出した DNA の所在を示す。

［　予習してくる項目　］

1．概説および［目的］を熟読し，＜目的＞を2～3行でまとめる。

2．概説および p.126 の［原理］を熟読し，＜原理＞の空欄を埋めて文章を完成させる。

3．［実験方法］を熟読し，各操作においてどの部分に DNA が存在しているのかがわかるように，フローチャートで示す（フローチャートの記載例　参照）。

4．オートピペットの使い方（p.133）を読み，操作を把握しておく。

［　考察のポイント　］

（必須ポイント）

◎以下の操作によって核の中に納められている DNA を取り出せた理由を考察せよ。

　　　・乳鉢内のすりつぶし

　　　・ドデシル硫酸ナトリウムの効果

　　　・エタノールの効果

◎電気泳動をすることで DNA が電荷を持つことがわかるが，その電荷の符号について考察せよ。

◎電気泳動を利用して抽出物を DNA とその他の核酸に分けることができるが，その理由を考察せよ。

（発展）

・動物の DNA と植物の DNA は共に4種類のヌクレオチドから構成されているにも関わらず，なぜそれぞれ異なる生物の情報を含むことができるのか？

・本実験では DNA が切れないようにゆるやかな操作を行っている。もし激しいかくはんを行って DNA が切れてしまった場合，電気泳動のパターンはどのようになると予想されるか？

・この抽出操作では DNA 以外の核酸も抽出され，電気泳動により確認される。細胞に含まれる DNA 以外の核酸にはどのようなものがあるか？

・世界初のクローン羊（ドリー）を作る際には，羊の細胞の中のあるものを入れ替えることにより行った。そのあるものとは何か？

〈フローチャートの記載例〉

下記はフローチャートの記載例である。レポートシートに予習する場合，**記載スペース**にできるだけ大きく見やすく描く。

1． <<植物試料からのDNA の抽出>>

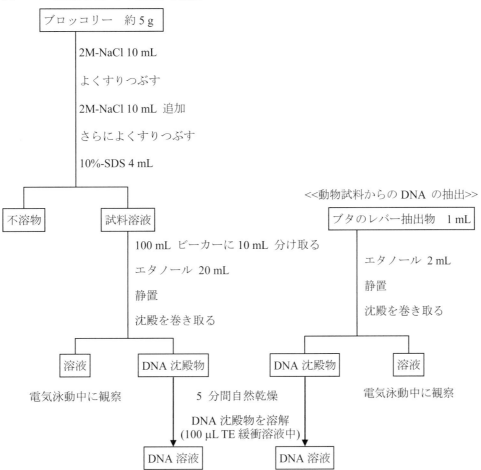

2．<<電気泳動>>
アガロースゲル（電気泳動槽内に各班で準備）のスロットに、左から順番に以下の溶液を 10 μL ずつ入れる
① ブロッコリーDNA 溶液
② 豚レバーDNA 溶液
③ DNA サイズマーカー (氷箱内に準備)
④
⑤
⑥

電気泳動槽のふたを閉め，RUN/STOP スイッチを押して電気泳動開始

色素がゲルの中心付近まで移動したところで，泳動を中止

ゲル撮影装置でDNA の存在を確認

［ レポート提出直前チェック ］

提出する前に，以下の点を再度点検しよう。

◆全体

・レポートは試験の答案と同じである。人に読まれること，評価されることを念頭
に置き，ていねいに記されているか。

・他人と同じレポートは，原本・写本を問わず両方とも評価されない。オリジナリ
ティーに富んだものになっているか。

◆表紙および書式

・記入漏れはないか（特に担当教員を忘れがち）。

・表紙にバーコードは貼ってあるか。

・レポートは上部2カ所を止めているか。

―― **表紙不備のレポートは受理されない** ――

・p.15 の項目はすべてあるか。

―― **考察のないレポートはレポートにあらず** ――

◆こんなレポートは提出しても評価されない

・結果，観察状況を詳しく記していない。

・「考察のポイント」の中の必須ポイントを検討していない。

［ 参考書 ］

"レーヴン/ジョンソン　生物学「上」"，レーヴン/ジョンソン・ロリス/シンガー　著，
培風館（2006）

Ⅳ　付　録・付　表

1　原子量，分子量，溶液の濃度
2　実　験　式　の　作　り　方

＜付表＞

基　本　物　理　定　数

ギ　リ　シ　ャ　文　字

Ｓ　Ｉ　接　頭　語

原　子　量　表

周　期　表

1 原子量, 分子量, 溶液の濃度

1.1 原子量

天然の同位体組成をもつ元素の平均原子量のことで，炭素原子の同位体である $^{12}_{6}C$ の質量を正確に 12 とした相対的質量である。原子量には単位がない。原子量にグラムをつけたとき，それを 1 グラム原子といい，その元素の原子がアボガドロ数（N_A=6.02214076×10^{23}）個集まったときの質量となる。原子量表を **付表4** に示した。

1.2 分子量

分子を組み立てている元素の原子量の総和であり，原子量と同様に単位がない。分子量にグラムをつけたとき，それを 1 グラム分子といい，その分子がアボガドロ数個集まったときの質量となる。

1.3 式量

物質の構成粒子がイオンである塩化ナトリウムのように分子という概念のない物質もある。この場合は，構成単位の質量として式量ということばを用いる。式量は，物質の組成式中の原子の原子量の総和に等しく，分子量と同様に単位がない。

1.4 モル

原子，分子，イオンなどの基本的粒子のアボガドロ数個をその物質の 1 mol（モル）という。原子や分子の 1 個の質量はきわめて小さく扱いにくいが，このように，ある標準の個数の原子や分子の質量に置きかえて計算すればたいへん便利である。

以上のことをまとめると，

$$\begin{cases} 原子量＝（原子 \ 1 \ 個の質量）\times N_A \\ 分子量＝（分子 \ 1 \ 個の質量）\times N_A \\ 分子量が \ M \ の物質 \ w \ グラムは \ w/M \ \text{mol} \end{cases}$$

である。

1.5 溶液の濃度

　ある溶液の濃度は，一定量の溶液中に含まれている溶質（溶解している物質）の量で示される。化学では，溶液の一定量として，重さに 1000 g（または 1 kg），体積に 1000 mL（または 1 L）を用いることが多いので，ここではそれらの量を基準にしていくつかの濃度表示法を説明する。単位は原則として，SI 単位によるが，本書では，体積表示に関し，容器に記されている表示に従い，L（SI では dm³）および mL（cm³）を採用する。

（1）　質量パーセント濃度（質量百分率）

　　　溶液の質量に対する溶質の質量を百分率で表した濃度である。

$$\text{溶質の質量パーセント}(\%) = \frac{\text{溶質の質量}(g)}{\text{溶液の質量}(g)} \times 100$$

　　　たとえば 5 % の食塩水とは，その溶液 1000 g 中に 50 g の塩化ナトリウムを含む。

（2）　モル濃度（molarity, mol／L, c）

　　　化学では重要な濃度単位であり，溶液 1 L 中に含まれる溶質の物質量である。
　　　mol／L の略記として M で表す。

$$c = \frac{\text{溶質の量}(mol)}{\text{溶液の体積}(L)}$$

（3）　質量モル濃度（molality, mol／kg, m）

　　　溶媒 1 kg 中に含まれる溶質の物質量である。

$$m = \frac{\text{溶質の量}(mol)}{\text{溶媒の質量}(kg)}$$

（4）　質量百万分率（parts per million, ppm）

　　　濃度が非常にうすいときには，質量による百万分率によって濃度を表すと便利なことが多い。溶液についての質量百万分率とは，溶液百万（10^6）g 中に含まれる溶質のグラム数である。

$$\text{溶質の質量百万分率}(ppm) = \frac{\text{溶質の質量}(mg)}{\text{溶媒の質量}(kg)}$$

2　実験式の作り方

実験を行うと数値が得られるが，実験条件と数値との間に実験式を求める必要があるときは，次のような方法がある。

例として，温度を変えたときの一定量の液体（100 g の水銀）の体積を測定して次のような結果を得た場合を考える。温度と液体の体積との関係を2つの方法で求めてみる。

温度（x_i）　　20 ℃　　　　25 ℃　　　　30 ℃　　　　35 ℃　　　　40 ℃

体積（y_i）　7.3824 mL　　7.3892 mL　　7.3950 mL　　7.4018 mL　　7.4071 mL

2.1　グラフ法

グラフにかいて y＝a＋b x の式の a，b をグラフから求める。
一番簡単な方法であるが個人誤差が出てくる。

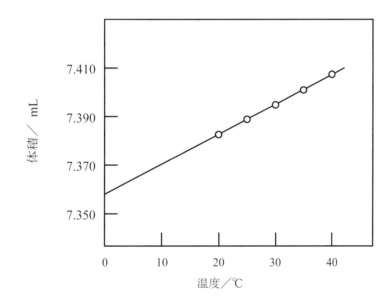

　　y＝7.358＋0.0012 x　　　となる。

2.2　最小2乗法

実験式を作るには最もよい方法で，偏差の平方の和を最小にするように実験式を決定する方法である。

　　いま　　f（x）　＝　a　＋　b x　とすると

偏差の平方の和は　$\Sigma \delta_i^2$　だから

$$\sum_{i=1}^{n} \delta_i^2 = \sum (y_i - a - b x_i)^2 \qquad \text{を最小にするためには}$$

$$\left.\begin{array}{l} \dfrac{\partial}{\partial a} \sum (y_i - a - b\,x_i)^2 = 0 \\[4mm] \dfrac{\partial}{\partial b} \sum (y_i - a - b\,x_i)^2 = 0 \end{array}\right\} \quad$$ を満足するように a, b を決定する。

したがって $\quad \sum (y_i - a - b\,x_i) = 0 \quad , \qquad \sum x_i\,(y_i - a - b\,x_i) = 0$

すなわち $\quad na + b\sum x_i = \sum y_i \quad , \qquad a\sum x_i + b\sum x^2 = \sum x_i\,y_i$

上式を a, b について解くと,

$$a = \frac{\sum x_i \sum x_i\,y_i - \sum y_i \sum x_i^2}{(\sum x_i)^2 - n\sum x_i^2}$$

$$b = \frac{\sum x_i \sum y_i - n\sum x_i\,y_i}{(\sum x_i)^2 - n\sum x_i^2}$$

実際に a, b を求める場合には, 各測定点に対応する各項を次のように表にまとめると便利である。

温度 x_i	体積 y_i	x_i^2	$x_i\,y_i$
2 0	7.3824	4 0 0	1 4 7.6 4 8
2 5	7.3892	6 2 5	1 8 4.7 3
3 0	7.3950	9 0 0	2 2 1.8 5
3 5	7.4018	1 2 2 5	2 5 9.0 6 3
4 0	7.4071	1 6 0 0	2 9 6.2 8 4
$\sum x_i$ $= 1 5 0$	$\sum y_i$ $= 3 6.9 7 5 5$	$\sum x_i^2$ $= 4 7 5 0$	$\sum x_i\,y_i$ $= 1 1 0 9.\ 5 7 5$

ゆえに $\quad a = \dfrac{150 \times 1109.575 - 36.9755 \times 4750}{(150)^2 - 5 \times 4750}$

$\qquad\quad = 7.3 5 7 9$

$\quad\ b = \dfrac{150 \times 36.9755 - 5 \times 1109.575}{(150)^2 - 5 \times 4750}$

$\qquad\quad = 0.0 0 1 2 4$

$\therefore \ y = 7.3 5 7 9 + 0.0 0 1 2 4 x$

（1），（2）を比較すると偏差の小さい直線を描けるのは（2）といえる。

付表1　基本物理定数

物　理　量	記号	数　値	単　位
真 空 中 の 光 速 度	c_0	2.99792458	10^8　$m \cdot s^{-1}$
電　気　素　量	e	1.602176487	10^{-19}　C
プ ラ ン ク 定 数	h	6.62606896	10^{-34}　$J \cdot s$
ア ボ ガ ド ロ 定 数	N_A	6.02214179	10^{23}　mol^{-1}
フ ァ ラ デ ー 定 数	F	9.64853399	10^4　$C \cdot mol^{-1}$
気　体　定　数	R	8.314472	$J \cdot K^{-1} \cdot mol^{-1}$
セ ル シ ウ ス 温 度 目 盛 り の ゼ ロ 点	T_0	273.15	K
理 想 気 体 の モ ル 体 積	V_m	22.4141	$L \cdot mol^{-1}$

付表2　ギリシャ文字

大文字	小文字	読　み	大文字	小文字	読　み
A	α	アルファ	N	ν	ニュー
B	β	ベータ	Ξ	ξ	グザイ
Γ	γ	ガンマ	O	o	オミクロン
Δ	δ	デルタ	Π	π	パイ
E	ε	イプシロン	P	ρ	ロー
Z	ζ	ゼータ	Σ	σ	シグマ
H	η	イータ	T	τ	タウ
Θ	θ	シータ	Y	υ	ウプシロン
I	ι	イオタ	Φ	φ	ファイ
K	κ	カッパ	X	χ	カイ
Λ	λ	ラムダ	Ψ	ψ	プサイ
M	μ	ミュー	Ω	ω	オメガ

付表3　SI接頭語

倍　数	接　頭　語	記号	倍　数	接　頭　語	記号
10	デ カ deca	da	10^{-1}	デ シ deci	d
10^2	ヘクト hecto	h	10^{-2}	センチ centi	c
10^3	キ ロ kilo	k	10^{-3}	ミ リ milli	m
10^6	メ ガ mega	M	10^{-6}	マイクロ micro	μ
10^9	ギ ガ giga	G	10^{-9}	ナ ノ nano	n
10^{12}	テ ラ tera	T	10^{-12}	ピ コ pico	p

原 子 量 表 　(2019) 　　　$A_r(^{12}C)=12$

原子番号	元　素　名	元素記号	原子量	原子番号	元　素　名	元素記号	原子量
1	水　　素	H	[1.00784:1.00811]	60	ネ オ ジ ム	Nd	144.242
2	ヘ リ ウ ム	He	4.002602	61	プロメチウム	Pm	＊
3	リ チ ウ ム	Li	[6.938:6.997]	62	サ マ リ ウ ム	Sm	150.36
4	ベ リ リ ウ ム	Be	9.0121831	63	ユ ウ ロ ピ ウ ム	Eu	151.964
5	ホ ウ 素	B	[10.806:10.821]	64	ガ ド リ ニ ウ ム	Gd	157.25
6	炭　　素	C	[12.0096:12.0116]	65	テ ル ビ ウ ム	Tb	158.925354
7	窒　　素	N	[14.00643:14.00728]	66	ジスプロシウム	Dy	162.500
8	酸　　素	O	[15.99903:15.99977]	67	ホ ル ミ ウ ム	Ho	164.930328
9	フ ッ 素	F	18.998403163	68	エ ル ビ ウ ム	Er	167.259
10	ネ オ ン	Ne	20.1797	69	ツ リ ウ ム	Tm	168.934218
11	ナ ト リ ウ ム	Na	22.98976928	70	イッテルビウム	Yb	173.045
12	マグネシウム	Mg	[24.304:24.307]	71	ル テ チ ウ ム	Lu	174.9668
13	アルミニウム	Al	26.9815384	72	ハ フ ニ ウ ム	Hf	178.49
14	ケ イ 素	Si	[28.084:28.086]	73	タ ン タ ル	Ta	180.94788
15	リ ン	P	30.973761998	74	タングステン	W	183.84
16	硫　　黄	S	[32.059:32.076]	75	レ ニ ウ ム	Re	186.207
17	塩　　素	Cl	[35.446:35.457]	76	オ ス ミ ウ ム	Os	190.23
18	ア ル ゴ ン	Ar	[39.792:39.963]	77	イ リ ジ ウ ム	Ir	192.217
19	カ リ ウ ム	K	39.0983	78	白　　金	Pt	195.084
20	カ ル シ ウ ム	Ca	40.078	79	金	Au	196.966570
21	スカンジウム	Sc	44.955908	80	水　　銀	Hg	200.592
22	チ タ ン	Ti	47.867	81	タ リ ウ ム	Tl	[204.382:204.385]
23	バ ナ ジ ウ ム	V	50.9415	82	鉛	Pb	207.2
24	ク ロ ム	Cr	51.9961	83	ビ ス マ ス	Bi	208.98040
25	マ ン ガ ン	Mn	54.938043	84	ポ ロ ニ ウ ム	Po	＊
26	鉄	Fe	55.845	85	ア ス タ チ ン	At	＊
27	コ バ ル ト	Co	58.933194	86	ラ ド ン	Rn	＊
28	ニ ッ ケ ル	Ni	58.6934	87	フランシウム	Fr	＊
29	銅	Cu	63.546	88	ラ ジ ウ ム	Ra	＊
30	亜　　鉛	Zn	65.38	89	アクチニウム	Ac	＊
31	ガ リ ウ ム	Ga	69.723	90	ト リ ウ ム	Th	232.0377
32	ゲルマニウム	Ge	72.630	91	プロトアクチニウム	Pa	231.03588
33	ヒ 素	As	74.921595	92	ウ ラ ン	U	238.02891
34	セ レ ン	Se	78.971	93	ネプツニウム	Np	＊
35	臭　　素	Br	[79.901:79.907]	94	プルトニウム	Pu	＊
36	クリプトン	Kr	83.798	95	アメリシウム	Am	＊
37	ル ビ ジ ウ ム	Rb	85.4678	96	キ ュ リ ウ ム	Cm	＊
38	ストロンチウム	Sr	87.62	97	バークリウム	Bk	＊
39	イットリウム	Y	88.90584	98	カリホルニウム	Cf	＊
40	ジルコニウム	Zr	91.224	99	アインスタイニウム	Es	＊
41	ニ オ ブ	Nb	92.90637	100	フェルミウム	Fm	＊
42	モ リ ブ デ ン	Mo	95.95	101	メンデレビウム	Md	＊
43	テクネチウム	Tc	＊	102	ノ ー ベ リ ウ ム	No	＊
44	ル テ ニ ウ ム	Ru	101.07	103	ローレンシウム	Lr	＊
45	ロ ジ ウ ム	Rh	102.90549	104	ラザホージウム	Rf	＊
46	パ ラ ジ ウ ム	Pd	106.42	105	ド ブ ニ ウ ム	Db	＊
47	銀	Ag	107.8682	106	シーボーギウム	Sg	＊
48	カ ド ミ ウ ム	Cd	112.414	107	ボ ー リ ウ ム	Bh	＊
49	イ ン ジ ウ ム	In	114.818	108	ハ ッ シ ウ ム	Hs	＊
50	ス ズ	Sn	118.710	109	マイトネリウム	Mt	＊
51	アンチモン	Sb	121.760	110	ダームスタチウム	Ds	＊
52	テ ル ル	Te	127.60	111	レントゲニウム	Rg	＊
53	ヨ ウ 素	I	126.90447	112	コペルニシウム	Cn	＊
54	キ セ ノ ン	Xe	131.293	113	ニ ホ ニ ウ ム	Nh	＊
55	セ シ ウ ム	Cs	132.90545196	114	フレロビウム	Fl	＊
56	バ リ ウ ム	Ba	137.327	115	モスコビウム	Mc	＊
57	ラ ン タ ン	La	138.90547	116	リバモリウム	Lv	＊
58	セ リ ウ ム	Ce	140.116	117	テ ネ シ ン	Ts	＊
59	プラセオジム	Pr	140.90766	118	オ ガ ネ ソ ン	Og	＊

原子量の＊：安定同位体のない元素　©2019　日本化学会　原子量専門委員会

周 期 表 (2019)

族\周期	1	2	3	4	5	6	7	8	9	10	11	12	13	14	15	16	17	18
1	1 H 1.008																	2 He 4.003
2	3 Li 6.941	4 Be 9.012											5 B 10.81	6 C 12.01	7 N 14.01	8 O 16.00	9 F 19.00	10 Ne 20.18
3	11 Na 22.99	12 Mg 24.31											13 Al 26.98	14 Si 28.09	15 P 30.97	16 S 32.07	17 Cl 35.45	18 Ar 39.95
4	19 K 39.10	20 Ca 40.08	21 Sc 44.96	22 Ti 47.87	23 V 50.94	24 Cr 52.00	25 Mn 54.94	26 Fe 55.85	27 Co 58.93	28 Ni 58.69	29 Cu 63.55	30 Zn 65.38	31 Ga 69.72	32 Ge 72.63	33 As 74.92	34 Se 78.97	35 Br 79.90	36 Kr 83.80
5	37 Rb 85.47	38 Sr 87.62	39 Y 88.91	40 Zr 91.22	41 Nb 92.91	42 Mo 95.95	43 Tc (99)	44 Ru 101.1	45 Rh 102.9	46 Pd 106.4	47 Ag 107.9	48 Cd 112.4	49 In 114.8	50 Sn 118.7	51 Sb 121.8	52 Te 127.6	53 I 126.9	54 Xe 131.3
6	55 Cs 132.9	56 Ba 137.3	57~71 ランタノイド	72 Hf 178.5	73 Ta 180.9	74 W 183.8	75 Re 186.2	76 Os 190.2	77 Ir 192.2	78 Pt 195.1	79 Au 197.0	80 Hg 200.6	81 Tl 204.4	82 Pb 207.2	83 Bi 209.0	84 Po (210)	85 At (210)	86 Rn (222)
7	87 Fr (223)	88 Ra (226)	89~103 アクチノイド	104 Rf (267)	105 Db (268)	106 Sg (271)	107 Bh (272)	108 Hs (277)	109 Mt (276)	110 Ds (281)	111 Rg (280)	112 Cn (285)	113 Nh (278)	114 Fl (289)	115 Mc (289)	116 Lv (293)	117 Ts (293)	118 Og (294)

ランタノイド	57 La 138.9	58 Ce 140.1	59 Pr 140.9	60 Nd 144.2	61 Pm (145)	62 Sm 150.4	63 Eu 152.0	64 Gd 157.3	65 Tb 158.9	66 Dy 162.5	67 Ho 164.9	68 Er 167.3	69 Tm 168.9	70 Yb 173.0	71 Lu 175.0
アクチノイド	89 Ac (227)	90 Th 232.0	91 Pa 231.0	92 U 238.0	93 Np (237)	94 Pu (239)	95 Am (243)	96 Cm (247)	97 Bk (247)	98 Cf (252)	99 Es (252)	100 Fm (257)	101 Md (258)	102 No (259)	103 Lr (262)

化学・生物実験

2014 年 4 月 1 日	初版発行	編　者 ⓒ	日本大学生産工学部	
2016 年 4 月 1 日	2 刷発行		化学・生物実験研究会	
2018 年 4 月 1 日	3 刷発行	印　　刷		
2020 年 4 月 1 日	4 刷発行	製　　本	(株) 三 秀 舎	

発行所　株式会社 東京教学社

東京都文京区小石川 3－10－5
郵便番号　112-0002
電話　03 (3868) 2405 (代表)
FAX　03 (3868) 0673
振替口座　00150－2－66168

ISBN978-4-8082-3055-5